KB075673

물고기

물고기

발 행 | 2024년 07월 05일
저 자 | 김수정
펴낸이 | 한건희
펴낸곳 | 주식회사 부크크
출판사등록 | 2014.07.15(제2014-16호)
주 소 | 서울특별시 금천구 가산디지털1로 119 SK트윈타워 A동 305호
전 화 | 1670-8316
이메일 | info@bookk.co.kr

ISBN | 979-11-410-9347-1

www.bookk.co.kr

목차

[//]

바다 냄새가 난다.
네가 바다를 싣고 나에게 불어왔다.

[//]

마침내 버스에 몸을 실었다. 여전히 날씨는 흐리다.
점점 해가 떠오르고 있는 게 보인다.
짙은 회색에 한 방울 떨어진 푸른빛.
그 오묘한 하늘이 점점 뚜렷해진다.
여름의 이름을 한 가을인 오늘.
무릎까지 내려오는 푸른 원피스가 회색빛 하늘 아래에서 바다의 끝을 모방했다.

영원히 푸르고 영원히 마르지 않을 바다의 끝을.
그렇담 아마 이 바다의 수평선은 내 손등이 되겠지.

[//]

파도 소리가 점점 커져온다. 난 문득 15살의 가을을 떠올렸다. 맞아, 그날은 가을의 이름을 한 여름이었지. 답지 않게 무척이나 더웠어. 나는 하복을 입고, 너는 춘추복을 입은 채로 땀을 흠뻑 흘리면서. 항상 오르던 계단에서 서로를 마주 보던 그날의 우리는 무슨 얘기를 했었던가. 그 저녁놀이 지던 찰나의 순간 한 번만 하늘을 올려다볼 걸 그랬다. 나를 보며 미소 짓는 네 얼굴이 정말 아름다웠는데. 그 뒤에 아른하게 깔린 주황빛 하늘과 분홍빛 구름이 너무 예뻤는데. 너와 마지막으로 인사한 후에 뒤늦게 올려다 본 하늘은 이미 해가 자취를 감춘 탓이 어둑해진 때였지. 사실, 내심 아쉬웠었어. 너의 미소를 보고, 손을 잡고, 그 후에 곧장 하늘을 올려다보았다면 몇 배는 더 행복했을 텐데 말이야.

그래도…, 아무렴 어때.

물고기는 과거를 생각하지 않아.

[//]

때는 바야흐로, 바람이 멎었다.

내 머리카락을 세차게 망가트리던 바람이 멎었다.
정확히 언제 멎었던가. 기억이 잘 나지 않는다.
내가 바다에 빠진 순간이었던가,
아니면 바다에 다다랐던 순간이었던가,
혹은 흐릿한 수평선이 시야에 들어왔던 순간이었던가,

잘 모르겠다.
그래도 단 하나는 확실하게 알 수 있다.

마침내 자유가 도래했다.

[01. 물고기]

-나를 숨 쉬게 해줘. 숨 막히는 찬 공기, 이 도시. 멈추지 않는 소음 속에 헤엄치는 날 데려가 줘….

빽빽하게 가득 차 있는 원목 가구가 어우러진 자그마한 거실. 지금이 몇 시인지조차 제대로 인식하지 못한 채 눈을 떴다. 제대로 된 이부자리가 놓여 있는 것도 아닌, 그저 딱딱한 마룻바닥 위에서 아주 천천히 눈을 깜빡거렸다.

음, 지금이 몇 시더라.

고개를 들어 거실 창을 바라보았다. 꽤나 오래 누워있었던 것 같은데, 여전히 밖은 밝은 낮이다. 8월의 한 여름을 지나고 있는 탓에 이마에 송골송골 땀이 맺혔다. 민소매 짧은 나시에 짧은 반바지를 입었지만, 그렇다고 해서 더위가 가시는 것은 아니었다. 잠깐 몇 시인지 궁금했으나, 얼마 지나지 않아 그것은 그다지 중요한 게 아니라고 판단했다. 당장 해결하고 싶은 것은 그저 더위를 없애는 것. 그것뿐이었다. 난 손을 움직여 바로 옆에 놓여 계속해서 같은 노래가 흘러나오는 휴대폰을 집어 들었다. 그러곤 옆으로 돌아 휴대폰을 보기 편한 자세로 바꾸었다. 손바닥에 난 땀 때문에 왠지 불쾌한 기분이 잠깐 들기도 했다. 전원 버튼을 살짝 누르자 왼쪽 아래에 금이 간 액정에 빛이 들어왔다. 현재 시각은 오후 4시 21분이었으며 휴대폰 속 시계 아래로 계속해서 듣고 있던 노래 제목이 위젯으로 떠올랐다.

[이루리 - 물고기]

우연히 1차원적인 제목에 이끌려 이 노래를 들은 이후로,

다른 노래는 듣지 않게 된 지 꽤나 오랜 날들이 지났다. 작게 그 제목을 읊조린 후, 휴대폰을 다시 바닥에 내려놓았다. 그러곤 곧장 몸을 느릿하게 일으켜 손을 바닥에 짚고 구부정하게 앉았다. 해가 떠있을 때 일어나서 몇 시간은 불편하고 애매하게 누워 있었건만, 여전히 해가 떠있다니. 이번 여름은 유독 덥고 낮이 기네.

가슴 아래까지 기른 머리 때문인지 왠지 더 덥게 느껴지는 것만 같기도 했다. 이 머리도 어서 다듬으러 가야 하는데. 머릿결이 제대로 관리되지 않아 손가락 사이로 흘러내리던 머리카락은 곧장 손가락에 가로막혀 팽팽한 신경전을 벌였다. 억지로 빗으려 손을 갈고리 모양으로 접어 내려보았지만, 소용이 없었기에 손을 다시 밖으로 빼냈다. 분명 창밖으로 바라본 지금은 여름의 한낮이었지만, 집 안을 둘러보니 묘하게 기분 나쁠 정도로 어두웠다. 지금은 돌아가신 할머니의 취향이 가득 담긴 탁한 원목 가구들이 아주 빼곡하게 놓여있는 탓이거나, 북향이라 해가 잘 들지 않는 탓이거나.

이것들만 다 정리한다면 분명 더 넓고 깨끗해질 텐데. 긴 앞머리를 대충 쓸어넘기며 수납장이 몇 개나 있는지 세어보았다. 거실에만 4개. 그 위에 각종 다채로운 잡동사니들까지 정리하려면 분명 이틀로도 부족할 것이다. 동묘에서도 안 팔 것 같은 휘황찬란한 코끼리 피규어는 물론, 영화 '타이타닉'의 포스터, 장국영의 얼굴이 크게 있는 빛바랜 엽서까지. 온갖 것이 뒤섞여 비루한 가구를 한껏 꾸며주고 있었다.

음, 그냥 현재에 만족해야겠다. 사실 정리할 생각은 추호도 없었으며, 그럴 에너지조차 없다. 넓은 거실을 상상해 보면 꽤 마음에 들긴 하겠다만 너무 공허할 것 같기도 하고. 그렇게 자기합리화를 하며 정리를 미룬 뒤 북향이라 빛이 잘 들어오지 않는 거실을 둘러보았다. 그런 뒤 찌뿌둥한 몸을 아예 일으켜 세웠다. 마치 이제서야 겨우 잠에서 깬듯한 사람처럼 추레한 몰골이었다. 단조롭고 짧은 회색 나시를 제대로 내려 정리하고서 괜히 수납장 위 잡동사니들의 정렬을 일자로 맞추었다. 어디서 구매했는지 출처를 알 수 없는 소품들. 대부분은 할머니의 취향이었다. 돌아가시고 난 뒤 이것들을 다 버릴까 싶었지만, 그대로 두었다. 대신 그 소품들에 내가 사 온 것들을 하나 둘 추가해 올릴 뿐이었다. 정렬을 맞추었음에도 불구하고 여전히 수납장 위는 지저분했다. 잡동사니 위에 쌓여있던 먼지가 손에 묻자 손을 가볍게 털어내고 목덜미의 땀을 슥 훑어 닦았다. 그러곤 곧장 침실로 향했다.

그곳에서 가져온 것은 할머니가 아끼던 일본산 오래된 선풍기였다. 변압기를 꽂아야 겨우 돌아가는 선풍기. 이 선풍기는 우리 엄마가 어렸을 때부터 썼던 선풍기라고 했다. 바람의 세기가 그다지 강하지도 않고 변압기를 꽂아야 해 귀찮음을 감수해야 한다는 단점이 큰 아이였다. 그러나 할머니는 그 선풍기에 엄마의 어린 시절과 본인의 청춘이 다 담겨있다는 이유만으로 새로운 선풍기로 교체하지 않았다. 오로지 그것만이 유일한 이유였다. 엄마도 이 선풍기를 좋아했다고 하는데, 그 때문인지 선풍기엔 엄마의 흔적이 그대로 남아있다. 장국영의 열렬한 팬이었던 엄마는 아주 옛적 홍콩 영화에 나오는 것처럼 파란 선풍기 테두리에 한지를 뜯어 길게 늘여 붙여 두었다. 그 한지들은 전원을 켜지 않으면 비좁은 골목 작은 가게 입구에 걸려있는 발처럼 흐물흐물 늘어져있다. 하지만 전원을 켜는 순간, 바람 때문에 한지가 날려 세차게 흩날린다. 나는 어릴 때부터 그 돌아가는 한지에 가까이 얼굴을 가져다 대고 살갗을 간지럽히는 느낌을 즐기곤 했다. 이따금 한지가 물에 젖거나 하는 탓에 찢어질 때도 있어서 한지를 새로 잘라 도로 붙여놓은 적도 많았다. 이젠 엄마가 계시지 않지만, 난 여전히 새 한지로 바꿔 붙여두기를 계속한다. 테두리 너머 보이는 펜 하나에 한지 3개씩 붙인다는 생각으로. 그럼 적지도 않고 많지도 않아 바람에 흩날릴 때 적당히 아름다운 모습이 된다는 엄마의 조언을 계속해서 기억하며. 펜 아래쪽, 위쪽, 그리고 오른쪽. 가끔 변덕을 부리고 싶을 때엔 왼쪽 부근에 붙이는 짓도 감행한다. 어쨌든 그런 추억이 잔뜩 담긴 선풍기를 변압기와 함께 거실로 가져와 전원을 켰다. 바람은 불어오고, 휴대폰에서 여전히 노래는 나오고 있었다.

다시 눕고 싶다. 무엇을 할 힘도 없으며 의지 또한 없다. 생각을 멈추고 싶다. 생각을 멈추고 싶다는 생각 또한 잦아들었으면 좋겠다. 순식간에 차오르는 우울감에 그대로 뒤로 발라당 드러눕고 싶었다. 하지만 다시 누워버린다면 난 오늘 하루도 무기력하게 날려버리겠지. 손가락 사이사이를 흘러내리는 모래들처럼 손쓸 틈도 없이 허무하게. 난 그러기는 정말 싫었다. 그래서 눕지 않고 무릎을 감싸고 앉았다. 당장 앉아있는 위치에서 등을 기댈 수 없었기에, 가장 편안하게 바꿀 수 있는 자세였다. 그렇게 턱을 무릎에 올리고 조용히 눈을 내리떴다. 한지에게 활기를 불어 넣어주며 돌아가는 선풍기는 아주 오래되었지만 더위를 날려주기엔 충분한 세기였다. 덕분에 이마에 맺힌 땀방울은 금세 사라져갔다.

빙글빙글 돌아가는 선풍기 날개와 춤을 추며 흩날리는 얇디얇은 한지를 잠자코 바라보다 손을 뻗었다. 한지가 찢어지지는 않을 만큼만 부드럽게. 또 그런 부드러운 한지가 내 손을 쓸어내리게끔.

바람이 나에게 닿았다. 아주 뚜렷하고 아주 시린 존재감의 바람이 나의 흐릿한 손을 쓸어내렸다. 마치 불쌍한 새끼 고양이를 쓰다듬어주듯, 그런 속상한 마음을 위로해 주듯 어루만지고 또 어루만져 줬다. 모든 것에 의미를 찾을 수 없는 나의 희미한 생각 속을 날카로운 바람이 파고들었다. 날카로우면서도 뭉툭한. 따듯하면서도 차가운. 날이 선듯하면서도 부드러운. 아름다운 미소를 지녔으면서도 그 속은 우울한. 그런 바람이 나를 헤집어 놓는 것만 같았다. 나는 어딘가 그리운 마음에 눈을 감았다. 그러니까, 나는 누구를 그리워하고 있는 것이더라…….

[02. 괴물]

틈만 나면 엄마를 매섭게 때려 패는 아빠와 그런 아빠를 떠날 수 없는 엄마. 그 둘 사이에서 혜연의 유년 시절은 지옥과도 같았다. 제 삶이 인간 답지 못하다는 것은 7살의 나이에 진작 깨닫고 있었다.

-혜연아. 엄마가 지켜줄게. 꼭 지켜줄게. 그러니까 방에 잠깐 들어가 있어.

싸구려 염색약으로 염색한 탓에 푸석푸석한 레드 브라운 빛 머리를 한 엄마가 혜연을 짧게 안아주며 귀에 속삭이던 말. 떨리는 목소리로 저를 지켜주겠다고 한 말은 혜연을 조금도 안심시킬 수 없었다. 엄마는 울고 있는 혜연을 옷방 겸 침실로 밀어 넣은 뒤 볼에 짧게 뽀뽀를 해주고 안방으로 들어갔다. 혜연이 보기에 마치 그 뒷모습은 스스로 죽으러 가는 사람 같았다. 어떠한 기대도 하지 않고, 희망도 갖지 않은 채로 스스로 물에 잠겨들어가는 굽은 뒷모습. 느릿느릿 엄마가 안방에 들어간 뒤 들려오는 유리잔이 깨지는 날카로운 소리, 라디오가 부서지는 짙은 파열음. 그 속에서 결국 혜연을 무너트리고 마는 것은 아빠가 엄마를 온 힘으로 때려패는 둔탁한 소리였다. 낮고, 무겁고.

아빠가 엄마를 때리면 들려오는 엄마의 비명소리, 곧이어 쓰러지는 소리, 그리고 앓는 소리까지 연속적으로 들려오는 것. 그 소리가 들릴 때마다 혜연은 이불 속으로 더 파고 들어가 귀를 막으며 울었다. 당장 바닥이 꺼졌으면 좋겠다. 저 소리가 들리지 않을 만큼 깊고 또 깊은 곳으로 파고 들어가고 싶다. 그러나 혜연은 그럴 수 없었다. 그 대신 혜연은 아버지의 귀에 들어가지 않을 만큼만, 그러나 밖에서 들려오는 엄마의 비명소리는 저에게 들리지 않을 만큼만 소리 내어 울었다. 그렇게 7살의 그녀는 하루가 멀다 하고 제 울음소리 속에서 안정을 되찾으며 잠에 들곤 했다. 언제 마지막으로 겪었는지 모를 평안하던 밤을 그리면서.

*

그런 혜연이 빠르게 변화를 맞이했던 것은 2년이 지난 9살이 되던 해, 겨울이었다. 그 해의 혜연은 완벽하게 불행에 익숙해져 있었다. 아니, 그녀의 불행이 '평균'의 기준이 되었다. 그녀는 부모님과 주말에 함께 소풍을 즐기는 것을 기대하지 않았으며, 부모님과 함께 하는 저녁상을 기대하지 않았다. 매일같이 울며 잠드는 나날들이 그녀에겐 당연한 것이 되어버린 것이다. 길거리에서 [도어록 설치]같은 푯말을 설치한 뒤 하루가 멀다 하고 담배를 피우며 낯선 아저씨들과 얘기를 나누는 아빠는 그 해 경마에 푹 빠져 있었다. 시장에서 구매한 만 칠천 원짜리 슈퍼 히어로 케이스를 끼운 채로, 도보의 한구석에 자리 잡은 채로 경마 영상을 보며 욕짓거리를 내뱉는 것이 아빠의 일상이었다. 사람들의 이목을 끄는 것을 목적으로 길거리에 세워둔 여러 모양의 도어록 위에는 먼지가 가득 쌓여 있었다. 겉으로 보기엔 사람들이 도어록을 설치에 관심을 갖도록 하고 싶은 건지, 살금살금 눈치 보며 피해가도록 하고 싶은 건지 도통 알 수 없었다. 짧은 스포츠머리에 극심한 거북목을 가진 아빠를 혜연은 늘 증오했다.

그런 아빠가 술에 취해 들어오면 혜연은 엄마가 시킬 것도 없이 먼저 방에 들어가 문을 잠그고 이불을 겹겹이 쌓아 제 몸 위에 올려두곤 했다. 이날도 뒤도 돌아보지 않고 침실로 들어가던 혜연은 문득 엄마가 떠올라 한 번 뒤돌아보았다가, 엄마와 눈이 마주쳤다. 술에 취한 아빠를 맞이하며 혜연을 바라보던 엄마의 눈에는 복잡 미묘한 감정이 들어있었다. 슬프면서, 씁쓸하고, 두렵고, 속상하고, 괜히 밉기도 하고, 또 배신감을 느끼는듯하기도 했다. 그런 다양한 부정을 담은 눈빛으로 혜연을 바라보던 엄마가 혜연과 눈을 마주치니, 제 속마음을 들켜버렸다는 죄책감이 순식간에 스며들었는지 혜연을 향해 어설프게 웃어주었다.

레드 브라운의 머리. 하지만 자랄 대로 자라 뿌리 부근은 흑빛. 제대로 빗지 못해 엉킬 대로 엉켜버린 머리. 그리고 그런 몰골을 정리해야겠다는 의지는 보이지도 않는 초췌한 낯빛. 엄마의 모습이었다. 혜연의 '엄마'하면 떠오르는 모습 그대로였다. 우리 엄마. 나를 지켜주겠다던 엄마. 그리고 혜연은 그런 엄마의 눈에서 '배신감'의 감정을 가장 크게 읽었다. 하지만 혜연은 아무것도 할 수 없었다. 아빠의 목소리가 더 커지고, 엄마의 엉킨 머리를 더 엉키게끔 우악스럽게 쥐어잡는 모습을 보고 서둘러 침실로 들어가 문을 잠갔기 때문이다. 혜연은 그날 밤, 오랜만에 울었다. 불행에 너무 익숙해져 있었던 9살의 혜연이었지만, 그날은 오랜만에 소리 내어 울었다. 엄마의 눈빛이 생각나서, 울고 또 울었다.

그런 날이 있고 며칠 뒤, 새벽 사이에 눈이 많이 내려 도로가 새하얘진 날이었다. 혜연은 캐릭터 스티커 사이에 돋보이는 뜯다만 폐기물 스티커가 붙어있는 연초록색 수납장, 사계절의 옷이 이곳저곳 뒤섞여 걸려있는 행거가 가득한 방 한가운데에서 눈을 떴다. 작디작은 방이건만 네 방면 모두 행거나 수납장, 언제 받았는지 모를 택배 박스, 작은 새끼 짐승 따윈 가볍게 집어삼킬 정도로 멍청하게 큰 청소기 등이 벽에 골고루 놓여있었다. 그 탓에 혜연의 유일한 개인 공간은 그 중앙 1평도 채 되지 않을 것 같은 공간이었다. 키가 어느 정도 자랐기에 올곧게 누우면 발이 삐죽 튀어나오는 연분홍색 이불을 덮고 누워있던 혜연은 창밖 광경이 보고 싶어 자리를 박차고 일어났다. 이불을 대충 어설프게 접은 뒤 행거에 걸려있는 옷을 걷어 올린 다음 창밖을 내려다보았다. 빌라촌의 바깥 풍경이라 해봤자 건너편 손 뻗으면 닿을 것 같은 또 다른 빌라 건물뿐이었건만, 그럼에도 혜연은 건물과 건물 사이의 작은 틈에 쌓인 눈을 보고 기뻐했다. 눈사람을 만들고 싶었지만 장갑이 없어 손이 무척이나 시릴 것이 분명했다. 혜연은 나갈지 말지 고민하고 있었다. 그리고 그 순간, 거실에서 쿠당탕-하는 소리가 들려왔다. 분명 새벽 사이에 쾅 하고 문을 세차게 닫으며 외출하는 아빠의 소리를 들었기에, 혜연은 엄마에게 무슨 일이 생겼나 하고 놀라 거실로 뛰어나갔다. 대충 게어 놓은 이불에 발이 걸려 잠시 휘청했지만, 혜연은 개의치 않고 다시 허리를 펴 문고리를 돌렸다. 그리고 눈앞에 펼쳐진 광경은 바닥에 엎어져있는 접이식 밥상과 그 탓에 엉망이 된 엄마의 옷차림이었다. 무생채와 삭은 김치, 그리고 김이 바닥에 흩뿌려져 있었고 엄마의 늘어날 대로 늘어난 진회색 원피스엔 김치 양념이 가득했다.

-엄마!

혜연은 놀라 엄마를 불렀지만 왠지 엄마는 이상해 보였다. 전화를 하는 중인지 한 손은 전화기를 귀에 가져다 대고 있었으며, 다른 한 손은 너무 놀란 나머지 입을 가리고 있었다. 왠지 눈에는 눈물이 맺혀있는 것 같기도 했다. 혜연이 너무 놀라 엄마를 부르고 가만히 서있자, 엄마는 혜연을 바라보았다. 그러곤 입을 가리고 있던 손을 떨며 내렸다.

-혜연아….

-엄마, 엄마 괜찮아?

–혜연아, 아빠가… 아빠가 돌아가셨대.

–어?

아빠가 돌아가셨다.라는 말과 동시에 엄마는 안방으로 뛰어 들어갔다. 혜연은 순간 얼음이 되었다. 이 감정이 물체로 형상화된다면, 당장 창밖 새하얀 눈밭에 그 감정을 던져 놓아도 위화감이 없을 것이다. 순간적으로 얼어붙은 혜연은 곰곰이 생각했다. 돌아갔다. 아빠가. 그러니까, 아빠가 돌아갔다. 어디로? 어디로 돌아간 거지? 저도 모르게 1차원적으로 생각하던 혜연은 곧이어 '돌아가셨다'라는 말의 뜻을 알게 되었다. 지금껏 이해는 할 수 없었지만 그냥 그런 말인가 보다. 하고 생각하고 있었던 문장이었다. 돌아가셨다. 그 말의 뜻은 죽었다는 뜻이었다. 즉 아빠가 돌아가셨다의 뜻은 아빠가 죽었다는 것이었다. 혜연은 순간 얼어있던 몸이 확 풀리며 감정이 고조되었다.

아빠가 죽었다. 드디어.

혜연은 서둘러 엄마가 있는 안방으로 향했다. 문고리를 돌리려 손을 올렸지만, 문을 열지는 않았다. 통화하는 소리가 들려왔기 때문이다. 방음이 썩 좋지 않아 방 안에서 엄마의 통화 소리가 들려왔다.

–네, 즉사래요…. 네, 네. 아뇨, 누가 뒤에서 들이받은 건 아니고 미끄러져서. 네. 인도 블록에 부딪혔대요. 빨리 가봐야죠. 경황이 없어서 아직 가지도 못 했어요. 혜연이는……. 네, 조금 부탁드려요.

엄마는 할머니와 통화하는 듯했다. 오토바이, 인도 블록, 혜연은 들어는 봤지만 정확하게 알지는 못하는 단어들의 해석을 떠올리고 조합하느라 잠깐 시간을 썼다. 그런 방문 밖의 혜연은 우두커니 선 채로 울지 않았다. 드디어 불행에서 벗어났구나 생각하며 아주 순수하게 기뻐한 것, 그뿐이었다. 혜연 스스로 다시 생각해 보니 아마 그때 처음으로 진정한 행복을 느낀 것 같기도 했다. 혜연은 멍했다. 이런 축복이 제게 찾아왔다는 것이 믿기지가 않았다.

이젠 엄마가 맞을 일은 없네. 이불 덮고 엎드려 있는 거 힘들었는데. 그런데 즉사가 뭐지? 즉사는 모르겠네. 물어봐야겠다. 하며 생각할 뿐이었다. 그러고 난 뒤, 방문 너머로 들리는 엄마의 목소리가 잦아들자 혜연은 설렘을 못 이기고 조심스레 문을 열고 들어갔다. 전화가 끊길 때까지 기다리는 것이 너무나도 힘들었다. 그래서 잠옷 원피스의 치맛자락을 꼭 잡고 있느라 왼쪽 아래 치맛자락에 주름이 자글자글 남았다. 설렘의 흔적이었다. 그리고 혜연에게 더 이상의 인내심은 없었다. 물어볼 것이 너무나도 많았다. 분명 엄마도 기뻐하고 있을 거야. 이젠 아빠가 없으니까. 아빠가 죽었으니까.

오래된 문이 삐그극 하면서 열리자 엄마의 모습이 눈에 들어왔다. 바닥에 앉아있는 엄마는 고개를 들어 혜연을 바라보았다. 그리고 방에 들어간 혜연이 본 것은 예상과는 달리 평소보다 더 산발이 된 머리로 울고 있는 엄마였다. 그것도 아주 서글프고… 처절하게.

두 손으로 문고리를 잡으며 방 안으로 들어간 혜연은 멈칫했다. 그러곤 또다시 그대로 얼어 엄마를 바라보았다. 엄마가 바닥에 깔려있는 이불을 어찌나 세게 쥐어 잡았는지 주름이 가득했다. 아빠의 심기를 건드리면 안 되기에 항상 이불은 깔끔하게 펴져 있었는데, 그 이불이 형체를 잃고 아무렇게나 널브러져 있었다. 그 위로 무릎을 꿇고 소리 없이 울던 엄마가 눈물을 닦지도 못한 채 혜연을 바라보았다. 그러곤 어째선지 조금 놀란 표정을 지었다. 아, 또 그 눈빛이다. 엄마의 그 눈빛. 저 놀란 표정의 이유는 무엇일까. 혜연에게 들키고 싶지 않아 소리를 참아가며 울었는데 결국 들키고 말아 놀란 건지, 아니면 혜연이 아주 행복한 웃음을 지으며 들어와서 그랬는지는 알 수 없었다.

너무나도 행복한 혜연이었는데, 엄마는 너무나도 슬퍼 보였다. 이 상황이 이해가 가지 않았다. 왜 우는 거지? 아빠가 죽었는데 왜 슬퍼하는 거지? 설마 아빠가 살아났나? 문고리를 잡은 채로 얼어있던 혜연은 슬그머니 놓고 엄마에게 조심스럽게 다가갔다.

–엄마, 왜 울어?

혜연은 엄마와 똑같이 무릎을 꿇으며 얘기했다. 엄마와 눈높이를 맞추고 싶어 한 행동이건만, 무릎을 꿇자 엄마보다 더 작아졌다. 혜연은 엄마의 눈물이 전혀 이해가 가지 않았다. 그동안 전혀 자기를 지켜주지는 못했지만, 지켜주겠다고 호언장담하던 나의 엄마가 무너지듯 울고 있었다. 혜연은 그 눈물이 불안했다. 정말로, 정말로 다 놔버린 울음이어서. 혜연은 빨리 엄마의 대답을 듣고 싶어 여전히 이불을 쥐어 잡고 있는 엄마의 손을 잡으며 재차 물었다. 어서 제 불안감이 사라질 수 있는 대답을 해주길. 혜연은 생각했다.

–왜 울어? 응? 엄마 왜 우는 거야?

엄마는 맞잡은 손을 보다가 천천히 입을 열었다. 차오르는 눈물 때문에 목이 막혀오는지 꺽꺽대며 천천히 말했다.

-아빠가…, 아빠가 돌아가셨잖아.

그것은 이미 알고 있는 사실이었다. 아빠가 죽었는데, 대체 그것이 뭐 어쩌라고?

-아, 그러니까! 그게 왜?

혜연은 너무나도 답답했다. 9살 소녀의 시선으로는 도무지 아무것도 이해할 수 없었다. 그러나 엄마에겐 느껴지는 감정이 너무나도 많았던 것이었을까, 엄마의 표정이 점점 일그러졌다.

-내 말은 아빠가 죽었는데 엄마가 왜 우냐는 말이야!

아무래도 엄마가 이해를 잘 하지 못한 것 같아 혜연은 큰 소리로 또박또박 얘기했다. 선생님이 반 아이들에게 설명해 줄 때처럼. 미동도 없는 엄마의 손을 흔들면서 얘기했다. 엄마는 왠지 아까보다 더 슬픈 것처럼 보였다.

-사랑하는 사람이 죽었잖아. 그러면 원래 슬픈 거야.

결국 엄마가 체념하듯 말을 뱉어내었다. 계속 엄마의 손을 흔들며 응? 응? 되묻던 혜연이 순간 굳었다. 엄마는 눈물을 계속 흘리면서도 혜연의 머리를 쓰다듬었다. 이질감이 드는 행동이었다. 사랑한다고? 엄마가 아빠를? 그러니까… 사랑이라고? 대체 왜? 이해를 할 수 없었다.

-아빠를 사랑한다고? 아빠를 왜 사랑해?

혜연은 무척 당혹스러웠다. 순간 엄마가 어디 아픈 걸까 생각하기도 했다. 혜연의 입가에 웃음기가 점점 사라졌다. 불이 꺼진 작은방에서 두 모녀가 서로를 바라보고 있었다. 서로를 이해하지 못 한 채로, 이 마음을 어떻게 설명해야 납득할 수 있을까. 알아줄 수 있을까 내심 고뇌하기도 하면서. 그들은 같은 세상에서 같은 고통을 받았음에도 정반대의 마음을 지니고 있었다.

우리의 일상을 지옥으로 만든 사람을 사랑한다니, 엄마가 아무래도 단단히 미친 걸까? 그 괴물을 사랑한대. 엄마가. 혜연은 순간적으로 급팽창하는 이 답답함과 궁금함을 주체할 수 없었다. 그러나 엄마는 아무 말도 없었다. 한 손으로는 혜연이 잡았던 손을 제대로 잡아주었고, 한 손으로는 계속해서 혜연의 머리를 쓰다듬었다. 그저 그럴 뿐이었다.

-미안해…. 엄마가 다 미안해. 엄마 때문이야.

엄마는 구겨진 이불 위에서 혜연의 머리를 쓰다듬고, 또 쓰다듬었다. 그러다가 혜연을 완전히 끌어안고는 엉엉 소리 내어 울면서 우리 불쌍한 혜연이- 하고 울부짖기 시작했다. 나는 행복한데, 아마 지금 이 순간 세상에서 가장 행복한 사람일 텐데. 왜 내가 불쌍해? 왜 나한테 미안해해? 엄마가 뭘 잘못했는데? 의문이 점점 피어났지만 우선 그것보다 먼저 처리해야 할 생각이 있었다.

엄마가 아빠를 사랑한대. 내가 아는 사랑은 이런 게 아닌데, 엄마는 아빠를 왜 사랑하는 걸까. 그럴 리가 없을 텐데. 혜연은 엄마의 품 속에 안긴 채로 스스로 되묻고 또 되물었다. 왜 아빠를 사랑하는 걸까. 이것도 사랑이라고 하는 거야? 이게 왜 사랑이야? 엄마는 아빠를 사랑한다고? 대체 왜?

혜연은 엄마의 울음소리 속에서 홀로 생각했다. 9살 소녀는 죽음의 슬픔 앞에서 사랑을 논하고 있었다. 슬퍼할 여유도 없이, 아주 이성적으로 고찰했다. 그리고 그때부터 사랑의 정의를 새로이 정하고 싶은 욕구가 생겼다. 또한 '사랑'

을 무엇이라 명명하면 좋을지 고뇌했다. 사랑은 사랑일뿐이건만, 그녀에겐 고작 '사랑'따위가 아니었다. 그녀가 명명하는 순간 그 사랑에 가치가 부여되는 것이므로 그녀는 신중하게 고민하고 또 고민했다. 무한한 사랑에 유한한 가치를 부여하기 위해서였기 때문이다.

혜연은 사랑을 몰랐다. 그녀의 사랑이 어딘가로 계속해서 튀어 올랐다.

[03. 눈빛]

아빠의 장례식이 끝났다. 뜻은 잘 모르겠지만, 호상은 아니라는 말과 함께 어른들이 엄마와 혜연을 위로해 주었다. 혜연은 전혀 위로가 되지 않았다. 위로에 의해 회복이 필요한 상처받은 마음이 없었기 때문이다. 차라리 축하를 해주지. 혜연은 그렇게 생각했다. 장례식은 약식으로 하루만 진행되었다. 의외로 조문객은 많았다. 다만 그들 중 대다수가 엄마의 어깨를 두드리며 '그동안 고생 많았다'는 둥의 얘기만 하는 것을 보니, 대부분 엄마를 위해 온 사람들 같았다. 엄마는 넋이 나간 채로 듣는 둥 마는 둥 하고 있었지만 말이다. 9살의 혜연은 엄마보다 할머니와 더 많은 시간을 함께하며 하루를 보냈다. 발인까지 마친 후, 아빠는 납골당 한구석에 자리했다. 그냥 바다에 뿌리라던 할머니와 그건 안 된다는 엄마가 싸워 쟁취한 납골당이었다. 정말이지 이미 죽어버린 사람을 두고 복잡한 절차도 많다 생각했다. 어딘지는 몰라도 이미 아빠는 돌아갔을 텐데. 자기들도 알면서. 돌아갔다는 것을. 그런데 무슨 의미가 있다고 저 하얀 가루에 집착하는 것일까. 혜연은 알 수 없었다.

두 달이 지난 뒤, 혜연은 10살이 되었다. 2월이 되어 슬슬 겨울을 떠나보낼 준비를 해야 할 참이었건만, 형식적으로만 겨울의 마무리이지 3월이 되어도 여전히 겨울처럼 추울 것이 분명한듯한 한파가 계속되었다. 9살의 혜연은 그 해에 많은 변화를 겪었지만, 10살의 혜연 또한 마찬가지였다. 가장 크게 바뀐 것은 이젠 할머니와 살게 되었다는 것이다. 그 이유인즉슨, 더 이상 돈을 벌어올 아빠가 없기에 엄마가 돈을 벌러 타 지역 공장에 취직을 하게 되었기 때문이다. 작은 터미널 안, 혜연은 할머니의 등에 업혀 홀짝홀짝 어묵 국물을 먹고 있었다. 엄마를 떠나보내는 날임에도 불구하고 혜연은 마냥 신나기만 했다. 괴물이 사라지고, 겨울용 분홍색 장갑도 꼈고, 엄마랑 할머니와 함께 어묵을 먹고 있었기 때문이다. 누군가가 본다면 아주 일상적이고 평범한 나날들이 아닌가 싶겠지만, 혜연에겐 달랐다. 그녀가 겪었던 불행이 평균치로 자리 잡혔기 때문에 모든 것이 새로웠고, 특별했다. 하지만 동시에 그런 행복이 낯설었기에, 제가 감히 이런 행복을 겪어도 되는 것인가 하는 불안감은 여전히 안고 있는 채였다. 계속해서 팽창되어가는 생각들을 당장은 애써 무시했다. 이제 엄마를 한동안은 못 보니까.

-우리 혜연이. 건강하게 잘 있을 수 있지?

-응. 엄마는 공장에서 무슨 일해? 공장이라는 데는 뭐 하는 곳이야?

-음…. 사람들이 쓰는 물건을 엄마가 만드는 거야.

-진짜? 그럼 저-기 장난감도 엄마가 만들어?

-그럼-. 엄마 손길이 안 닿는 장난감은 없지.

-우와….

엄마는 흐뭇하게 미소 지어 보이며 혜연의 머리를 쓰다듬었다. 그러자 혜연은 거슬리고 불편한 감정이 들었다. 엄마가 머리를 쓰다듬어 줄 때마다 아빠가 돌아가셨던 날, 엉엉 울면서 쓰다듬어주던 엄마의 팅팅 부어오른 눈이 떠올라서였다.

-엄마. 혜연이 잘 좀 부탁해요.

-걱정하지 마라. 너는 몸관리 잘 하고.

-네. 걱정 마세요.

-그냥 엄마랑 같이 청소 일이나 하자니까.

-아녜요. 선희 언니가 여기가 돈이 잘 된대요. 1-2년만 일하고 혜연이랑 자리 잡아야죠 이제.

할머니가 본인을 엄마라고 지칭했다. 할머니는 누구나에게 할머니인 것 아닌가? 왜 할머니는 스스로를 엄마라고 지칭할까. 혜연은 멍청하면서도 순수한 궁금증이 일었다. 아, 그렇지. 엄마의 엄마이니까. 우리 엄마한테도 엄마가 있으니까. 그렇다면 할머니도 괴물이 나타나면 대신 괴물을 상대할 수 있을까? 우리 엄마를 지켜주겠다 말하고 그 모든 것을 겸허히 받아들이며 괴물을 상대할 수 있을까? 그렇다면 그것이 사랑인 것일까? 만약 우리 엄마가 아니고 나라면? 그럴 때도 할머니는 기꺼이 나를 위해 괴물을 향해 뛰어들까? 혜연은 또다시 생각했다. 저를 괴롭히고, 잠 못 이루게 하고, 미쳐버리게 만드는 사랑에 대해서.

*

할머니 등에 업혀 엄마를 마지막으로 배웅해 준 뒤 5개월이 지났다. 어느덧 7월의 뜨거운 여름이 된 것이다. 이따금 엄마가 그립기도 했지만, 제 의지와는 상관없이 엄마의 얼굴이 점차 희미해져갔다. 엄마를 떠올리면 생각나는 것이라곤 뿌리가 자라난 푸석푸석한 레드 브라운 빛깔의 머리. 그리고 초췌하던 얼굴. 그것뿐이었다. 하지만 혜연은 엄마가 보고 싶어 잠 못 이루며 뒤척이는 경우는 없었다. 아빠가 살아있을 동안에 항상 죽으러 가는 사람처럼 보였던 엄마의 뒷모습 덕분일까, 엄마가 정말 사라져버린 것만 같았다. 그대로 괴물의 포악하고 냄새나는 아가리에 잘근잘근 씹혀 잡아먹힌 것만 같았다.

덥고 습한 30도가량의 날씨가 계속되던 날들이었다. 엄마가 보고 싶은 날들보다 엄마 생각이 나지 않는 날들이 이어져오고 있었다. 여느 때처럼 학교를 다녀온 뒤 땀을 뻘뻘 흘리며 집으로 돌아온 혜연이었다. 높은 언덕에 위치하고 마을버스도 마을 내부까지는 들어오지 않았기에, 집까지 귀가하는 과정이 늘 힘들었다. 삐- 삐- 삐- 삐. 아빠가 길거리에 내놓고 팔던 도어록과 비슷하게 생긴 낡은 빨간 도어록 네 자리를 누른 혜연은 집으로 들어섰다. 신발장에서 신발을 벗으려고 하는데, 갑자기 혜연을 부르는 할머니의 다급한 목소리가 들려왔다.

-혜연아, 혜연아.

-응? 할머니?

-아이고, 혜연아. 우리 혜연아.

어디서 날 부르는 소리일까- 생각하며 신발을 벗으려는

행동을 멈추고 고개를 올린 혜연이었다. 그리고 그 궁금증이 채 일기도 전에 부엌에서 할머니가 달려왔다. 한 손에는 휴대폰을 들고서 급하게 뛰쳐나온 할머니는 왠인지 울고 있었다. 혜연에겐 아주 익숙한 눈빛이었다. 그러니까, 사랑하는 사람을 잃었다고 말하며 오열하던 엄마의 눈빛과 같은 눈빛이었다. 그리고 눈물, 눈물, 눈물. 흘리고 또 흘려도 부족하다는 듯 비집고 흘러나오는 눈물. 할머니의 눈에서 눈물과 눈물과 눈물이 흐르고 있었다. 그 떨어지는 눈물들을 보며 혜연은 불안감을 느꼈다. 그리고 본능적으로 최악의 상상을 하기 시작했다. 자기방어를 위함이었다. 최악을 상상함으로써 무슨 나쁜 소식을 듣든 '그래도 최악은 아니구나.'하면서 스스로를 안정시킬 생각이 내재된 무의식이었다.

그리고 혜연이 떠올린 최악은, 엄마가 죽는 것이었다.

-혜연아, 놀라지 말고 들어라. 네 엄마가 돌아가셨단다.

최악이었다.

*

과로사.

엄마의 사망 원인은 과로사였다. 아빠만큼이나 허무한 죽음이었다. 아니, 어쩌면 아빠보다 더 허무하거나. 혜연은 9살의 사이로 즉사를 알게 되었고, 10살의 나이에 과로사를 알게 되었다. 그 단어가 주는 무거움과 어떤 방식으로 죽음을 맞이했는지 전부. 물론 전혀 원치 않은 방법으로 말이다. 엄마는 돈을 더 벌기 위해서 잔업 신청을 했다가, 홀로 43도의 열기 속에서 세상을 떠났다고 한다. 오늘의 온도도 몇 도인지 제대로 모르는데. 그냥 아주 단순하게 덥다- 와 아주 덥다-로 나뉠 뿐이었던 혜연이었다. 그리고 오늘은 '아주아주 덥다.'인 날씨였다. 그럼 43도면 어느 정도인 것일까. 이따금 할머니와 목욕탕을 가면 겪을 수 있는 아주 뜨거운 온탕 정도의 온도인 것일까? 아니면 그것보다 더 뜨거운 것일까? 대체 엄마를 죽음으로 이끈 그 43도는 얼마나 뜨거운 것일까. 엄마는 그 43도 속에서, 빙글빙글 돌아가는 기계들 사이에서 얼마나 외롭고 힘들었을까. 혜연을 괴롭히는 괴물이 또 생겨났다. '아빠' 그리고 '43'이었다.

혜연은 그제야 눈물이 났다. 아빠가 죽었을 때는 마냥 기뻤는데, 갑자기 눈물이 엉엉- 났다. 신발장에 쭈그려 앉아 신발을 벗지도 못 한 채로 무릎 꿇어 울었다. 그걸 지켜보는 할머니도 가슴께를 부여잡고 엉엉 울었다. 그리고 혜연은 그 눈물의 이유를 계속해서 스스로 물었는데, 슬퍼서 운 것보다 원망하는 마음에 억울해서 울었던 것 같다. 짜증 나고, 다 미웠다. 모든 게 허무했다. 혜연은 한참을 울다가 우연히 신발장에 붙어있는 거울 속 제 얼굴을 마주했다. 그

속의 제 눈빛 또한.

그 눈빛은 엄마와 할머니가 하고 있던 눈빛이 아니었다. 사랑하는 사람을 잃은 슬픔이 담겨있지 않았다. 혜연은 순간적으로 숨을 헉 들이켰다. 무서운 것을 보기라도 한 듯. 나는 지금 사랑하는 엄마를 잃었는데, 어째서 혼자 다른 눈을 하고 있는 걸까. 사랑, 사랑, 사랑…. 그리고 눈물, 눈물, 눈물. 나는 또 죽음 앞에서 사랑을 따지고 있구나. 그럼에도 나는 아무것도 모르겠어. 더러워. 나 자신이 너무 싫어. 혜연은 모든 것이 다 버거웠다. 부모님으로 하여금 주어지는 사랑을 혜연은 전혀 느낄 수 없었다. 그것이 무엇인지조차 알 수 없었다. 그저 단어로서만 존재하는 가짜일 뿐이었다. 그들과 함께함으로써 깨닫는 사랑이든, 잃음으로써 느끼는 사랑이든 말이다. 그 어떠한 형태의 사랑도 그녀에겐 와닿지 못했다. 그녀에게 남은 것은 고작 의심과 질문 그리고 불신뿐이었다. 애석하게도 그녀의 나이 10살 무렵이었다.

그 후부터였을까, 혜연은 더 이상 세상에 기대를 하지 않게 되었다. 온 세상이 흑백으로 뒤덮여있었다. 찬란한 세상을 바라지도 않게 되었고, 흑백의 세상에 잠겨 혜연도 점점 색채를 잃어갔다. 그녀는 자기도 모르게 그렇게 잠겨갔다. 흑백의 세상에, 흑백의 감정에, 역겨운 우울감에.

[04. 눈물]

현재 살고 있는 성곽 마을로 이사를 오기 전인 혜연과 할머니가 같이 살 초등학생 무렵. 둘은 아주 후미진 지방의 작은 동네, 대석동에서 살았었다. 흔히 말하는 달동네였다. 서울에서 높은 동네에 살면 도시 야경이 아주 끝내준다던데, 그 당시 혜연의 집에서 본 야경은 어두컴컴했다. 아버지가 죽고 대석동에 위치한 할머니 집에 맡겨진 탓에 전학을 가게 된 혜연은, 처음으로 죽고 싶다는 생각을 했다. 엄마마저 돌아가신 뒤의 혜연은 자신이 가장 불행하다는 자기 연민에 빠져 그것을 원동력 삼아 살아가곤 했다. 불행이 자신의 에너지원이 된 것이었다. 생각해 보면 참 이상한 가치관이지만, 어린 시절의 혜연은 달랐다. 그녀의 삶이 너무나도 특별하기에, 이제 빛을 발할 날밖에 남지 않았기에 마치 멋진 소년 만화의 '프롤로그'처럼 그녀에게 시련이 주어진 것이라 생각하기도 했다. 물론 그렇게 생각하지 않으면 버틸 수 없었던 이유도 컸다. 그런 괴상한 특별함에서 우러나오는 감정에 매료되어 어떻게든 잔인한 현실을 회피하곤 했던 혜연은, 전학을 간 뒤 더 이상 자신이 특별하지 않음을 뼈저리게 알게 되었다.

세상에 알코올 중독 부모님을 가진 자와, 그런 자에게 맞고 사는 배우자가 이렇게 많을 줄이야. 부모님이 돌아가시고 없는 친구도 있었고, 혜연처럼 조부모와 사는 친구도 있었다. 모두가 자신과 같았고, 자신도 그들과 동일했다. 전혀 다를 바 없었다. 그 사실이 혜연을 더욱더 비참하게 만들었다.

어쩌면 나는 특별한 삶을 산, 그리고 살 사람이 아니구나.

무슨 변덕이 일었던 것인지 전학을 가고 처음으로 말을 텄던 친구에게 이 얘기를 한 적이 있었다. 제가 살아온 삶과, 어쩌면 자신이 특별한 삶을 살 사람이지 않을까 하는 얘기 말이다. 그 친구는 체육시간에 피구를 한 뒤 할머니가 챙겨준 사이다를 나눠 마신 후 친해진 친구였다.

-야.

-응?

-나도 한 입만.

-아, 응. 마셔.

처음으로 그 친구와 섞은 말이었다. 아주 담백하고도 명료하게. 혜연은 스스럼없이 말을 건넨 친구에게 얼떨결에 마시던 사이다를 건넸다. 턱 선에 맞춰 날카롭게 자른 단발머리가 돋보이는, 올라간 눈꼬리가 매력적인 여자아이였다. 그 아이는 혜연이 건넨 사이다를 꿀꺽 크게 마시더니, **윽-밍밍해.** 하고선 사이다를 도로 돌려주었다. 이 대화를 계기로 그들은 친구가 되었다. 물론 절친처럼 서로의 집에 놀러가고 하는 정도는 아니었고, 그냥 평범한 친구 말이다. 급식소에 같이 가거나, 체육시간에 짝을 지어 배드민턴을 쳐야 할 때면 찾는 정도였다. 어릴 적부터 많은 사람들과 교류를 한 것이 아니었기에 사람을 대하는 것이 쉽지 않은 혜연이었다. 그렇기에 그 친구와는 항상 시답잖은 얘기만 나누던 사이, 딱 그 정도였지만 처음으로 혜연은 그 친구에게 제 얘기를 모두 털어놓았다. 어린 마음에 치기를 부리고 싶었던 것인지, 혜연 자신이 특별한 삶을 살고 있는 게 사실은 맞는 거였다고 타인에게 인정을 받고 싶었던 것인지 이유는 정확하게 모른다. 어쩌면 제가 가진 불행을 상대방에게 배출함으로써 덜어내고자 하는 이기적인 마음이었을 수도 있다. 어쨌든, 어린 혜연은 자신의 약점이 될 수 있는 깊은 생각과 얘기는 드러내는 것이 좋지 않을 수도 있다는 것을 몰랐던 것뿐이었다. 수요일이라 4교시를 하는 날, 점심시간이 채 지나고서 바로 종례를 한 탓에 바깥의 햇빛은 강렬했다. 그럼에도 불구하고 빨리 끝났으니까 운동장에서 경찰과 도둑 하며 놀자- 하는 아이들이 넘쳐났고, 그들은 더위 따위 아무런 적수가 되지 않는다는 듯 활발하게 뛰쳐나갔다. 반 안은 친구와 혜연 둘만 남아있었다. 종례를 하기 전 미리 혜연이 언질을 주었기 때문이다. 친구는 흔쾌히 알겠다고 얘기를 하자고 했고, 둘은 방과 후 아무도 없는 교실에서 함께 책상에 턱을 괴고 모든 이야기를 나누었다. 아니, 혜연 혼자 이야기를 쏟아내었다. 말을 시작하기 전, 혜연은 친구의 눈을 마주치지 않고 손을 꼼지락거렸다. 그리고 조금은 담담하게 친구에게 이야기를 하기 시작했다. 아빠한테 맞고 살았는데 갑자기 아빠가 죽어버린 이야기. 또 돈을 벌러 떠난 엄마가 죽은 이야기. 그리고 자신은 어쩌면 특별한 삶을 살 특별한 사람일 것이라는 이야기까지. 한참을 잠자코 듣던 친구는 이야기가 모두 끝나자 아주 천진난만하게 발을 흔들며 얘기했다.

-너 그거구나?

-뭐?

-병-신.

-응?

-병-신이라고.

-병신? 병신이 뭔데?

–있어. 울 아빠가 매일 나한테 하는 말.

혜연은 순간 당황했다. 그 순간, 처음으로 혜연은 주희를 뚜렷한 색채를 가진 친구로 인식하게 되었다. 자기의 손톱을 잘근 깨물며 장난하듯 말끝을 늘리는 주희는 아주 담담했다. 장난기 가득한 얼굴이지만, 그 말을 내뱉은 표정은 한없이 딱딱했다. 또 물론 혜연은 '병신'의 뜻에 대해 모르지 않았다. 그녀 역시 제 아빠가 자주 하곤 했던 말이니까. 그저 홧김에 모르는 척하고 싶었을 뿐이었다. 어떻게든 반박하고 싶었던 혜연은 책상 아래로 살짝 주먹을 쥐곤 아무렇지 않은 척 이야기를 이어나갔다. 여전히 시선은 주눅 들어 아래를 향한 채였다.

–어쨌든 나쁜 말이잖아.

–맞아 나빠. 너는 네 삶이 왜 특이한데?

–나도 몰라. 나는 나만 이렇게 사는 줄 알았어.

–웃기고 있네.

–뭐가 웃긴데? 만화책 봐도 주인공들은 다 이렇잖아. 처음에는 힘들다가 나중에는 다 이겨내고 행복해지잖아. 멋진 친구들고 있고. 나는 내가 특별한 존재라서 지금 이렇게 사는 줄 알았어. 아주 특별해서. 내가 주인공이라서, 그래서 …….

–아니, 그런 건 없어.

–왜?

–왜라니? 그건 특별한 게 아니야. 불행한 거지.

특별한 게 아니고 불행한 거라고….

그 말을 듣고 한동안은 둘 다 침묵을 이어갔다. 주희는 이제 흥미가 떨어졌다는 듯 제 노란색 후드 끈을 가지고 놀며 알 수 없는 콧노래를 흥얼거리기 시작했다. 혜연의 기분 따위 어떻든 주희는 전혀 신경 쓰지 않는 듯한 태도였다. 그 짧은 시간 사이에 둘이 나눈 대화는 고작 초등학교 5학년인, 넓은 운동장을 신나게 뛰어놀아야 할 아이들이 나누기엔 너무나도 성숙하고 불쾌한 이야기였다.

침묵이 흐르는 교실 밖에 제 또래의 친구들이 까르륵 웃는 소리가 창문을 넘어 아련하게 들려왔다. 왠지 그 소리를 듣자 혜연은 눈물을 또르르 흘릴 것만 같았다. 어떻게든 주희의 말을 반박하고 싶었지만 반박할 틈이 전혀 보이지 않아 억울한 눈물이 삐죽 나오려고 했다. 혜연은 어떻게든 그 눈물을 삼켰다. 눈물, 눈물, 눈물이 눈동자를 적시고 제 살갗마저 적시려고 굳게 마음을 먹었다는 듯 범람하기 시작했다. 그 눈물을 제지하느라 혜연의 표정이 어쩔 수 없이 잔뜩 일그러졌다. 천장을 바라보며 눈물이 제 눈동자에서 아래로 떨어지지 않게 하고 싶었지만 그러면 제가 눈물을 흘린다는 사실을 들키게 되니 일부러 고개를 빳빳이 들고 있었다. 입술을 너무 세게 깨물어서 피가 나올 것만 같았다. 그러자 주희가 갑자기 몸을 창밖으로 돌려 운동장에서 술래잡기를 하는 친구들을 구경하기 시작했다. 얼핏 보면 말을 하는 혜연을 앞에 두고 등을 돌려버리며 개무시를 하는 안하무인처럼 보였겠지만, 혜연은 순간 그런 주희에게 고마움을 느꼈다. 제 눈물을 못 본 척해주는 기분이 들었기 때문이다. 주희가 몸을 돌림과 동시에 혜연의 눈에서 눈물이 흘렀고, 잽싸게 손으로 눈물을 닦았다.

그와 동시에 혜연은 제가 이룩했던 모든 가치관이 무너

져내리는 기분을 느꼈다. 그때는 과하게 밀려와 미어터질듯 한 감정을 명확히 정의 내릴 수 없어 그냥 묻어두었지만, 시간이 지난 후 생각해 보면 그 감정이 무엇이었는지 알 것만 같았다.

원망, 수치스러움, 서글픔. 그 복합적인 감정이 사무치는 눈부신 어느 여름날이었다.

*

그날 이후, 혜연은 주희를 괜스레 미워했다. 사실 알고 있었다. 주희는 아주 솔직할 뿐 아무 잘못이 없다는 것을. 하지만 제가 어떻게든 회피하고 있었던 사실을 일깨워 주었다는 이유 하나만으로 주희를 원망했다. 굳이 따지자면 혜연은 주희를 미워할 명분을 억지로 만들어내어 그것에 옭아매였던 것이다.

하지만 모순적이게도 혜연은 동시에 주희를 동경했다. 그것이 어디서부터 뿌리내리게 된 것인지는 스스로도 모른다. 하나 예상해보건대, 그저 많디 많은 생각에 사로잡혀 그곳에 스스로를 가둔 채 사는 자기와는 다르게 아주 자유로워 보여서. 회피하지 않고 받아들이고 사는 모습이 너무나도 자유로워 보여서 그랬던 것 같다. 그래서 좋았고, 부럽고, 너무나도 닮고 싶었다. 그래서 혜연은 주희를 마음껏 미워하되 마음껏 좋아했다. 그뿐이었다.

그렇게 응축된 진한 애증이 얄팍한 우정이라는 이름 뒤에 완전히 모습을 은폐했다.

[05. 정글짐]

조금은 웃기지만, 그날 이후 주희와 혜연은 이상하게도 친한 친구가 되었다. 그저 급식소를 함께 가고, 배드민턴을 함께 치는 정도가 아닌 정말 친한 친구. 우린 이제 베프야! 같은 선언은 따로 없었다. 그저 혜연이 비밀을 허심탄회하게 말한 이후 아주 자연스럽게 정해진 일이었다. 12살의 어린 나이의 그들은 아마 비밀을 공유한 이상 그런 섭리에 따라야 하지 않을까- 하고 생각한 것일 테다. 그들이 가진 불행의 깊이와는 별개로, 12살의 우정은 꽤나 단순했다. 물은 물이고, 산은 산인 것처럼 그들은 자연스럽게 둘도 없는 친구가 되었다. 그들이 '베프'가 되기 위한 특별한 서사는 없었다. 사실 그 누구도 언급하지 않았지만, 그들 서로가 아니면 또 다른 친한 친구가 없다는 것도 그들이 친한 친구가 되는 것에 한몫하기도 했다.

혜연은 어딘가 찝찝함을 느끼긴 했지만, 그것이 큰 걸림돌이 되지는 않았다. 물론 우정이라는 이름 뒤에 짙은 애증이 숨어있다는 것을 특별히 자각하지도 못했다. 가끔 애매한 감정이 욱하듯 솟아나긴 했건만, 고작 12살인 그들은 그것을 알아챌 리 없었다. 즉사나 과로사는 누구보다 잘 알지만 '애증'이라는 것엔 문외한이었다. 그리고 알아채더라도 꽁꽁 숨길 것이 분명했을 것인 감정이었다. 감정적 격분보다 고요한 평화가 더 좋다는 것은 누군가가 꼭 가르쳐 주지 않아도 충분히 아는 사실이었기 때문이다. 애증은 어렵지만 동경의 이해는 쉬웠던 그녀였기에 그 모든 열등감을 꼭꼭 숨겨두었다. 그저 가끔 싫증 날 때 이유 없이 투덜거리고 쉬는 시간에 혼자 화장실로 쌩 가버리는 등의 유치한 행동만 할 뿐이었다.

누구도 의도하지 않았지만 아주 느리게, 그리고 묘하게 그들은 어쩔 수 없이 서로에게 얽히고 얽혔다.

*

혜연과 주희는 학교를 마치면 항상 운동장의 정글짐으로 향했다. 단 하루도 빼놓지 않았다. 알록달록한 미끄럼틀도 있고 방과 후면 인기 넘치는 그네도 있었다만 그들은 언제나 정글짐만을 고집했다. 그렇게 정글짐으로 오면 항상 혜연은 가장 아래 칸에 누워있었고, 주희는 어찌나 빠른지 쏜살같이 올라가 가장 위 칸에 앉아 바람을 맞곤 했다. 그저 그곳에 아슬아슬하게 앉아있을 때가 대부분이었지만, 가끔 주희는 영화 '타이타닉'의 잭과 로즈 장면이라며 두 팔을 벌리고 바람을 맞기도 했다. 그럴 때마다 위험하다고 혜연이 아래 칸에서 소리치며 말리긴 했지만, 내심 혜연은 아래서 올려다볼 때 보이는 주희의 모습을 가장 좋아했다.

다른 것은 보이지 않고 유일하게 보이는 것은 넓은 하늘과 정글짐, 그리고 주희뿐이었으니까. 언제나 같은 모습에 유일하게 달라지는 것은 구름의 모양뿐이었다. 바람에 흩날리는 주희의 짧은 단발머리와 눈을 감고 바람을 느끼는 모습이 아주 자유로워 보였다. 이따금 주희가 어떻게 서있느냐에 따라 정글짐에 얼굴이 미묘하게 가려질 때가 있었다. 그럴 때면 정글짐이 미울 정도로 주희를 바라볼 때마다 제가 감히 이 감정을 느껴도 되나 싶을 정도로 깊은 감정을 느꼈다. 혜연은 '타이타닉' 영화를 보지 못했지만, 주희가 그 장면이라며 팔을 쫘악 벌리고 있는 모습을 보면 분명 영화의 그 장면도 아주 멋있을 것이라 생각했다. 덩달아 그 모습을 바라볼 때의 혜연도 괜스레 자유로워지는 것만 같았다. 주희의 작게 흩날리는 머리, 주희가 자주 입는 케이크 한 조각 그림이 새겨진 노란색 후드 끈이 흔들리는 모습. 그것들과 함께 혜연도 울렁였다. 그리고 흩날렸다. 맨 아래 칸에 누워 올려다볼 때 주희는 구름 덕에 마치 날개가 달린 것만 같았다. 주희의 올라간 입꼬리가 유독 더 돋보이는 순간이었다. 주희를 정말 닮고 싶다. 혜연은 정말 자주 그렇게 생각했다.

-혜연아, 너는 맨날 왜 밑에 칸에만 있어?

어느 날은 주희가 혜연에게 물었다. 살짝 흐린 탓에 하늘은 먹구름으로 가득한 날이었다. 그날도 언제나처럼 가장 위 칸에 있던 주희였고, 혜연은 가장 아래 칸에 머물러 있었다. 주희는 정글짐에 혜연의 얼굴이 잘 보이지 않는지 고개를 쭉 빼고 혜연에게 소리쳐 물었다. 바람이 불어 목소리가 흩어질까 봐 한 행동이었다. 혜연 또한 바람 소리에 목소리가 잘 들리지 않을까 봐 큰 소리로 대답했다.

-난 그냥 여기가 좋아!

-그래도 올라와 봐. 거기보단 여기가 훨씬 좋을걸?

-싫어, 무서워. 그냥 여기서 누워있을래.

-정말?

-응. 그래도 좋아.

-흥. 됐어.

주희가 허리를 잔뜩 숙여 혜연에게 말을 걸다 말고 다시 벌떡 일어나 하늘을 바라보았다. 그 모습을 보며 혜연은 장난스레 키득키득 웃었다. 혜연은 정말 아래 칸에서 주희를 바라보기만 해도 괜찮았다. 바람이 너무 세서 뒤로 넘어가면 어쩌나 싶은 무서움이 있기도 했고, 보기만 해도 주희가 느끼는 자유로움이 충분히 와닿았기 때문이다. 혜연이 느끼기에 주희는 자신이 올라가지 않음에 내심 다행감을 느끼는 것 같았다. 그도 그럴 것이 맨 꼭대기는 주희 한 명만 올라가 있어도 자리가 없었으니까. 어쩌면 주희가 건넸던 말은 정말 올라와보라는 뜻이 아니고 혜연이 올라갈 생각이 없음을 다시 확인하고 싶어서 였을 테다. 그 사실을 지레짐작으로 예상했지만, 혜연은 그다지 서운하지 않았다. 아무래도 좋았다.

그들은 언제나 서로 욕심도 내지 않고 당연하게 가장 아래와 가장 위를 차지하곤 했다. 혜연은 이따금씩 주희를 멍하니 바라보다 하늘을 보고 멍을 때리기도 했다. 그러다가 바람을 충분히 맞은 주희가 내려오는 소리가 들리면 혜연도 그제야 일어났다. 내려와 혜연의 손을 잡는 주희의 손에서 열은 쇠 냄새가 났다. 그러나 크게 신경 쓰지 않았다.

*

혜연과 주희는 그 일과가 끝나면 곧장 집으로 향했다. 서로의 가정 형편이 형편인지라 다른 아이들처럼 학교 앞 영어 학원이나 미술 학원은 다니지 못했다. 가끔 쉬는 시간에 미술 학원의 숙제라며 가방에서 스케치북을 꺼내 크레파스로 채색을 하는 친구들을 구경할 때면 부러운 감정이 한껏 샘솟았다. 하지만 거기서 그칠 뿐 할머니에게 학원 등록을 해달라며 떼를 쓸 수도 없는 상황이었다. 할머니는 건물 청소를 하시며 생계를 유지하고 있었다. 할머니는 허리가 편찮으신데. 혜연은 그런 할머니가 걱정되었다. 매일 밤에 등허리에 파스를 붙여드리고 다리를 주물러 드렸다. 어린 혜연이 할 수 있는 최선이었다. 그 상황에서 학원을 보내달라고 하는 것 또한 상상할 수 없는 일이었다. 그것은 혜연 자신이 누릴 수 있는 행복이 아니라고 생각했다. 고작 초등학교 5학년의 나이에 혜연은 잔인하게도 모든 상황에 체념을 했다.

같은 동네에다가 5분이면 도착할 만큼 서로 가까운 집에 살던 혜연과 주희는 일주일에 한 번 콜라 맛, 오렌지 맛 슬러시를 사들고 집으로 갔다. 대개 혜연이 콜라 맛을 먹고, 주희가 오렌지 맛 슬러시를 먹었다. 일주일 용돈이 2,000원이었던 어린 시절의 그들에게 가장 사치스러운 소비였다. 슬러시 한 컵에 500원이나 하니까 말이다. 쪼옥 빨대로 빨아먹으면 금방 사라지는 슬러시였기에 일부러 그들은 빨대에 달린 자그마한 숟가락으로 하나하나 퍼먹었다. 어떻게든 아껴먹으려는 본능에서부터 비롯된 습관이었지만, 그 순간에도 그들은 꺄르르 웃으며 즐거워하곤 했다. 누가누가 가장 천천히 먹나- 같은 대결을 하기도 하면서 말이다. 그리고 반쯤 먹었을 때면 그들은 서로의 슬러시를 바꿔 먹으며 느리게 걸었다.

대석동. 이 지역에서 유명한 달동네에 사는 혜연과 주희였다. 서로의 집은 가까울지언정 학교에서의 거리는 꽤나 멀었다. 마을버스를 타고 10분을 간 후 또 10분은 계속 오르막길을 걸어야 나오는 동네였다. 그리고 주희와 혜연은 당연히 버스를 탈 돈이 없었기에 편도로 꼬박 약 40분을 함께 걸었다. 오늘은 아빠한테 어디를 맞았고, 아빠가 던진 돌멩이에 금이 간 장독대가 그만 깨져버렸고. 그 탓에 동치미 냄새가 집 안에 진동을 하며, 왼쪽 팔을 못 들겠다는 주희의 얘기를 들으며. 주희는 항상 그런 얘기를 해줌에도 전혀 울거나 우울해하지 않았다. 이미 생각은 다른 어딘가로 팔려있는 사람 같았다. 그러니까 마치 제 이야기가 아니고, 오늘 본 만화책에서 주인공은 이렇더라. 저렇더라. 하며 얘기를 해주는 사람 같았다. 혜연은 그 모습이 정말 신기했다. 나는 항상 슬프고 항상 울었는데. 주희는 그것이 아무런 문제가 되지 않는다는 듯이 천진난만하게 얘기를 했다. 제 상처를 아무렇지 않은 듯 여기는 모습이 멋있었다.

정자가 놓여있는 작은 쉼터 같은 공원을 지나고 허름한 교회를 지나, 좁은 골목길로 이루어진 지름길들을 지나면 짙은 녹색 대문이 나타났다. 곳곳에 페인트가 벗겨지고 낙서 자국도 있는, 각종 전단지가 이곳저곳 붙어있는 대문. 그 대문 사이로 힐끔 보면 보이는 콘크리트 마당과 뭐가 들어있는지 도통 알 수 없는 장독대 몇 개. 그리고 깨져버린 장독대를 차마 다 치우지 못해 마당 곳곳에 놓여있는 작고 큰 장독대 조각들까지. 마지막으로 그것들을 기꺼이 품어주겠다는 듯 온화한 주황색의 빛깔을 띠고 있는 지붕이 눈에 띄는 주희의 집이었다. 주희 집에 도착하면 늘 주희는 고개를 들어 하늘을 바라보았다. 지금의 하늘은 무슨 색인지 늘 보고 싶다면서. 그리고 특히 주희는 노을이 지는 때를 가장 좋아했다. 푸르면서, 따듯하면서, 어두운 그 색을. 짧게 하늘을 올려다본 뒤 밝게 작별 인사를 나누고 주희가 먼저 집에 들어가면 혜연은 지름길보단 넓은 골목길을 조금 더 걸어 3층짜리 빌라인 제 집에 도착했다. 윤슬 빌라. 벽돌로 지은 듯한 빌라 앞 몇 달째 그대로 놓여있는 분홍색 씽씽카가 돋보이는 집이었다. 그 익숙한 광경을 매일같이 보며 귀가하는 것이 그들의 당연한 일상이었다. 그들은 항상 그렇게 함께였다. 더운 날에도, 추운 날에도 언제나.

[06. 겨울]

-혜연아. 너는 아빠가 돌아가셨잖아.

-응.

-그때 어땠어?

막 13살이 되었을 무렵, 2월의 겨울이었다. 혜연의 집 거실에서 찐 옥수수를 함께 먹으며 저녁 라디오를 듣던 주희가 갑자기 혜연에게 물었다. 옥수수를 하나하나 떼어내 한 입에 털어먹으면서, 오물오물. 안 그래도 점점 아빠의 기일이 다가오고 있는 탓에 매일 밤 꿈자리가 좋지 않은 날들이 이어지고 있었다. 혜연은 주희의 그 질문을 듣곤 곰곰이 생각했다. 그때의 감정을 다시 떠올리려.

-좋았어.

-진짜로?

-응. 되게. 매일 때리고 욕하는 괴물이 죽었으니까.

-하긴.

-왜?

-나도 그런 일이 생기면 되게 좋을 것 같긴 해서.

양반다리를 하고 앉아있던 주희가 마지막으로 남은 옥수수를 한 아름 떼어내더니 입안으로 털어 넣으며 발라당 누웠다. 천장을 바라보며 옥수수 알갱이들을 오물오물 씹고 있는 모습을 보니, 다람쥐 같다는 생각이 들었다. 하지만 그런 제 또래 같은 행동과는 달리, 언행은 전혀 13살이 할 법한 발언이 아니었다. 오늘도 어김없이 케이크 한 조각이 그려진 노란색 후드티를 입고 있던 주희는, 옷소매를 살며시 걷어 올렸다. 오른쪽 손목에는 짙은 피멍이 들어있었다.

못 보던 멍이었다. 왼쪽 팔목에는 긁힌 자국이 빨갛게 부어 올라 있었다. 긁힌 자국은 처음 보는 탓에 혜연의 표정이 좋지 않았다. 옥수수를 힘겹게 꿀꺽- 삼킨 주희가 그런 혜연의 표정을 보고선 씩 웃으며 말했다.

-괜찮아.

대체 뭐가 괜찮다는 것일까. 혜연은 저 괜찮아-라는 말이 전혀 괜찮지 않다는 것을 누구보다 잘 안다. 그야 제가 겪었던 일들이기 때문이다. 물론 혜연은 아빠한테 심하게 맞은 적은 없지만, 엄마가 한 번도 주희처럼 웃은 적은 없었다. 아마 주희의 저 웃음도 거짓말이겠지. 바보 같아.

-안 괜찮잖아.

-아니야, 괜찮아.

-거짓말 치지 마.

-진짜야. 곧 우리 아빠도 죽을 거야. 그때까지 참으면 돼.

-그걸 네가 어떻게 아는데.

계속해서 괜찮다고 말하는 주희가 이윽고 옷소매를 다시 내려 상처를 가렸다. 그러곤 곧 제 아빠도 죽을 거라고 말한다. 주희를 거칠게 집어삼키고 난도질을 하는 그 괴물이 곧 죽을 것이라고. 그 앞에서 우리는 한없이 작은 짐승일 뿐일 텐데, 저 거대하고 포악한 괴물이 곧 사라질 테니 기다리라고 말한다. 대체 어떻게 그것을 확신할 수 있을까, 혜연은 생각했다.

-혜연아, 너는 그때 어떻게 버텼어?

-음… 내 인생이 만화책 속 주인공이랑 똑같을 거라고 생각했어. 기억나지?

-응….

-….

-그럼 나는 어떻게 버텨야 할까.

혜연이 주희를 바라보았다.

-나는 내 인생이 만화책 속 주인공 같지 않을 거라는걸 이미 잘 아는데.

-그건…….

-몰라! 그냥 옥수수나 먹을래.

무슨 대답을 해야 할지 몰라 우선 운 먼저 띄웠건만, 주희가 먼저 가로채버렸다. 누워있다가 벌떡 일어나 앉은 주희가 바구니 안에 놓여있는 옥수수를 하나 가져가 이번엔 이빨로 뜯기 시작했다.

-그래도 혜연아, 넌 정말 멋있는 것 같아.

-응? 내가?

-응! 너만의 이겨내는 방법이 있었잖아.

-그런가….

-응. 진짜 멋지다.

옥수수를 먹고 있는 탓에 주희의 발음이 잔뜩 뭉개졌다. 혜연은 생각에 잠겼다. 제가 멋있다고 말해주는 사람은 주희가 처음이었다. 대체 왜 내가 멋있다고 말해주는 것일까. 나는 잔뜩 우울하고 생각도 많고 답답한 사람인데. 혹시 주희가 거짓말을 하고 있는 것은 아닐까. 혜연은 의심하고 또 의심했다. 갑자기 입맛이 떨어졌다. 왠지 모르게 가슴이 턱 막혀왔기 때문이다. 아빠 생각도 나고, 엄마 생각도 나고, 주희의 말도 신경 쓰이고. 혜연은 주희의 말을 부정했다. 그것이 자신이 할 수 있는 최선이었다. 주희는 그런 혜연의 마음을 아는지 모르는지, 옥수수를 먹고 물도 벌컥벌컥 마셨다. 그럴 때마다 뺨을 맞은 탓에 부어있는 주희의 왼쪽 얼굴이 울렁거렸다. 혜연은 옥수수를 내려놓았다.

*

아슬아슬한 평화로운 일상은 그들의 일주일 용돈이 2천 원이 되고, 선배가 물려주는 교복을 공짜로 받아 중학교를 입학할 때까지 계속되었다. 1년 뒤 14살 겨울, 이날도 혜연의 집 밝은 거실에서 혜연의 할머니와 함께 옥수수를 몇 개 삶아 먹은 혜연과 주희는 서둘러 교복을 입어보았다. 조금 헤진 부분도 있었고 사이즈가 딱 맞진 않았다. 그럼에도 그녀들은 설레하며 제 나이대의 아이들처럼 순수하게 기뻐하기만 했다.

–보자, 우리 강아지.

–어때 할머니? 근데 나 명찰 달아야 해. 명찰 달아줘.

–잘 어울리네, 집에 반짇고리가 어디 있나.

–할머니 할머니, 주희 것도 같이 달아줘야 해.

–우리 똥강아지랑 예쁜 강아지 할머니가 둘 다 달아줘야지.

–뭐야, 왜 나는 똥강아지고 주희는 예쁜 강아지야!

보일러도 제대로 돌아가지 않아 조금은 서늘한 혜연의 집이 따뜻한 온기로 점점 채워져갔다. 주희도 커다란 교복을 입고 헤헤- 하고 웃고 있었다. 왠지 혜연은 이것이 평화로움인 것만 같았다.

[07. 바람]

어느덧 14살의 가을, 녹음이 푸르른 9월이었다. 함께 진회색 춘추복을 입은 혜연과 주희는 학교 복도 한구석에 앉아 교과 시간에 선생님이 내어준 숙제를 하고 있었다. 운이 좋게도 같은 반에 배정이 된 둘이었기에, 중학교에 진학을 하고서도 언제나 함께였다. 교실에서 숙제를 하고 싶었지만 방과 후 동아리 수업이 있어 복도 한구석에 자리를 잡았다. 그리고 오늘까지 끝내야 하는 숙제의 주제는 사랑에 관한 것이었다. 사랑의 종류를 쓰고, 그 종류 중 하나를 골라 작문을 해야 하는 숙제였다. 크고 헤진 교복 조끼를 벗어 바닥에 깔고 앉아있는 둘은 골머리를 앓았다.

-사랑에 종류가 있어?

푸른색 볼펜을 돌리며 머리를 싸매고 생각하던 주희가 갑자기 짜증이라도 난 듯 훽 물었다. 정말 아무것도 모르겠다는 표정이었다.

-그러게.

-사랑…. 사랑…. 사랑….

그러곤 다시 고개를 훽 돌려 천장을 바라보더니 도무지 생각이 나지 않는다는 양 중얼거리는 주희였다. 그 모습을 힐끔 본 혜연은 작게 중얼거렸다.

-성애적 사랑과 우정, 존경 이런 것도 다 사랑일 수 있지.

-오. 그래?

혜연이 낮게 읊조리자 주희는 혜연의 말이라면 다 맞는다는 듯 그대로 허리를 숙여 종이에 끄적이기 시작했다. 존경도 사랑이라고 볼 수 있지. 음, 음. 맞아. 같은 말을 중얼거리면서. 9살 때부터 사랑에 대해 정의 내리고자 하는 욕구를 주체할 수 없었던 혜연은 어찌 보면 사랑을 누구보다 몰랐으면서, 동시에 누구보다 잘 알았다. 제가 찾고자 했던 사랑에 해답은 전혀 내려지지 않았지만 그것을 찾아가는 과정에서 새로이 알 수 있는 것들이 꽤나 많았다. 예를 들면 우정도 사랑이고, 존경심도 사랑이며, 누군가를 추앙하는 신앙심도 사랑이 될 수 있다는 것을.

-혜연아, 그럼 애증은 뭐야?

끄적이던 것도 잠시, 결국 포기했다는 듯 숙제용 이면지 구석 한편에 물고기 그림을 그리던 주희가 갑자기 물었다. 그 말을 들은 혜연은 순간적으로 저도 모르게 몸을 굳혔다.

-…애증?

-응응. 애증은 애정과 증오가 동시에 있어서 애증이잖아? 긍정과 부정이 함께 있는데 이것도 사랑이라고 할 수 있나?

그 말을 듣고서 혜연이 얼어버린 이유는, 주희와 함께하는 시간이 지날수록 혜연의 마음속 우정 뒤에 숨어있던 애증이 점점 튀어나오고 있었다는 것을 느끼고 있었기 때문이다. 분명히 주희를 아끼고 좋아하는데, 한 편으로는 정말 미웠다. 크다면 크고 작다면 작은 이 변화를 혜연은 누구보다 뼈저리게 체감하고 있었다. 혜연은 이제 애증에 대해 잘 알고 있었다. 참으로 웃긴 일이었다. 진정한 사랑은 아직도 찾아가는 중이지만 애증은 잘 안다니. 어쨌든 부정적인 마음이 들어있으면 이해는 무척 쉬웠다. 그러나 혜연은 순간 주희의 질문에 대답을 할 수 없었다. 왠지 자신의 마음이 들켜버린 것만 같아서였다. 내가 너에게 애증의 마음을 품고 있다는 걸 안다면 네가 뭐라고 말을 할까. 혜연은 내심 무서웠다. 하지만 대답을 안 할 수는 없는 노릇이었기에, 괜히 시선을 아래로 내리며 서둘러 대답했다.

-그래도 사랑이 들어있으니까, 애증도 사랑이라고 볼 수는 있지 않을까….

-뭐야, 모순적이야. 사랑하면서 어떻게 증오해. 사랑한다는 건 그런 게 아니야. 사랑은 사랑일 뿐이야.

주희가 혜연의 마음을 적극적으로 부정하고 있었다. 그런 감정은 존재하지 않는다며, 바보 같다며. 혜연은 그 말을 듣자 순간적으로 제 모든 것이 부정당하는 기분이 욱하듯 솟아났다. 그것을 느끼자마자 혜연은 이면지를 휙 넘겨 작문 페이지를 펼쳤다. 한 치의 망설임 없이 그녀가 주제 칸에 적은 단어는 [애증]이었다.

-어라, 혜연이 너 애증으로 쓸 거야?

-응.

-그럼 나는 뭐로 쓰지?

-음… 몰라. 하고 싶은 거.

-흠, 그럼 난 우정으로 할래. 우리 우정 생각하면서 써야지.

주희는 우정으로 쓴다고 말했다. 그저 사전적 단어로 존재하는 우정이 아닌, 주희와 혜연의 서사와 감정이 담긴 '우리 우정'으로 말이다. 그것은 엄연히 다른 것이었다. 평범한 우정으로 정의 내릴 수 있는 것이 아니었다. 우리 우정은 어떤 식으로 서술이 될까. 혜연은 순간 궁금증이 일었다. 주희의 '우리 우정'은 그녀가 말했던 것처럼 '사랑은 사랑일 뿐인 것'에 속하는 순수 사랑의 영역일 테다. 혜연은 가슴 한편으론 괜스레 죄책감을 느꼈다. 그런 복잡 미묘한 감정을 없애기 위해 혜연은 천천히 바닥에 종이를 내려놓고 허리를 숙여 글을 쓰면서 곰곰이 생각하고 또 생각했다. 하지만 생각이 없어지기는커녕 더 많아지기만 했다. 아- 역시 이게 애증이라는 거구나. 찝찝하긴 해도 원래 친구 사이는 다 그런 건 줄 알았는데. 그런데 내가 왜 주희한테 애증의 감정을 품고 있는 거지? 혜연은 너무 혼란스러웠다. 무시하던 현실에 직면한 사람이 겪어야 할 혼돈이었다. 그 감정에 재정립이 필요했다. 대충 넘겨짚어 판단하는 것이 아닌, 제대로 직면하고 파악하는 것 말이다.

혜연은 주희에게 애증의 감정을 품기 위한 합당한 이유를 찾아내려고 했다. 정확히 말하자면 애증 중에서도 '사랑'을 제외한 '증오'의 이유를 찾고 싶었다. 지금 내 마음속에 있는 이 감정. 없다고 한다면 거짓임이 분명한 그 감정. 그러나 그것의 이유는 결국 2장을 넘게 작문을 했을 때도 찾지 못했다. 조금도 말이다. 나는 주희를 진심으로 아끼는데, 왜 나는 주희를 미워하기도 하는 걸까. 질투? 자격지심? 12살 때보단 더 자란 그녀였지만 그럼에도 제가 진정 찾고자 하는 답을 찾을 수는 없었다. 주희가 다 썼다며 우정에 관한 제가 쓴 글을 보여주었을 때에도, 그곳엔 우정은 성애적 사랑보다 위대하며 헤어짐 따위는 없다는 말이 쓰여있는 걸 보았을 때에도 찾을 수 없었다.

*

해답은 여전히 찾지 못한 채로 항상 반복되는 지루하고 재미없는 시간들이 훌쩍 지나 중학교 2학년, 15살의 어느 여름 날이었다. 여느 때처럼 학교를 마친 후 후문으로 나와 집으로 걸어가는 길이었다. 날이 더운 탓에 긴 머리카락을 하나로 질끈 묶었다. 주희는 여전히 짧은 단발이었다. 하복을 입어 팔이 훤히 드러나는데, 주희의 왼쪽 팔목에 짙은 피멍이 생겨있었다. 연 하늘색의 하복이었기에 짙은 보랏빛의 멍이 더 돋보였다. 그러나 주희가 굳이 그 상처를 숨길 노력을 하지 않았기에 혜연도 아주 자연스럽게 그 상처에 대해 언급했다.

–또 맞았어?

–응. 이번엔 벽시계로 내려치더라. 미쳤지? 진짜 지긋지긋한데 그래도 계속 맞다 보니까 익숙해지긴 해. 존나 웃겨.

–야, 뭐가 익숙해져. 그런 말 하지 말고 약이나 발라.

–아냐, 참나…. 야, 혜연아.

–왜?

맞는 거에 익숙한 게 어디 있어. 하며 주희의 등을 약하게 찰싹 때렸다. 주희는 아야– 하며 장난스레 히히 웃더니 곧바로 혜연에게 말을 건넸다.

–너는 만약에 다음 생이 있으면 뭐로 태어날래?

–나? 갑자기? 음, 그래도 사람으로 태어나고 싶은데.

–에이, 뭐야. 시시하네.

–갑자기 왜? 그럼 너는?

–나는 사람으로는 절대 안 태어나.

–응? 그럼?

–나는 바람으로 태어날래.

방금 전의 웃음기는 어디 갔는지 특유의 담담한 표정을 하고 주희는 말했다. 그들은 중학생이 되고 난 후 정하지도 않았지만 일부러 시시콜콜한 얘기들을 가볍게 더 많이 나누었다. 우울하고 현실적인 무거운 얘기는 초등학생 때 몽땅 털어버리고, 의미 없고 가벼운 얘기는 중학생이 된 후 몽땅 털어버리는 기분이었다. 최대한 현실에서 도망치고자 했던 무의식으로부터 비롯된 것이었다. 그렇기에 혜연은 언제나처럼 의미 없고 영양가 없는 대화라고 생각했기에 가볍게 대답했다. 혜연은 피식 웃으며 웬 바람? 하고 생각하며 주희를 슥- 쳐다보았다. 그리고 혜연은 조금 놀랐다. 저건 담담한 눈빛이 아니고 텅 비어있는 것만 같았다. 주희의 눈빛에 색채가 존재하지 않았다. 항상 자유로워 보이던 주희의 눈빛이 어긋나 있었다. 껍데기만 남아있고 영혼은 다른 어딘가로 날아가 버린 것만 같았다. 저건 자유가 아니라… 그러니까…….

혜연은 본능적으로 느꼈다. 왠지 주희가 꺼낸 저 말에 많은 의미가 담겨있는 것만 같았다. 정글짐에서 바람을 맞을 때 한껏 올라가있던 입꼬리는 이제 아무런 곡선도 그려지지 않았다. 잠시 횡단보도 신호등을 기다리고 있던 터라 멈춰있었기에 혜연은 저도 모르게 주희의 얼굴을 계속 쳐다보았다. 주희는 노골적으로 자신을 쳐다보는 혜연을 신경도 쓰지 않는다는 듯 꼿꼿이 정면을 쳐다보며 한쪽 발을 괜히 흔들거렸다. 마치 12살 때 교실 안에서의 그때처럼. 작게 흥얼거리는 소리가 바람을 뚫고 혜연에게 들려왔다.

혜연은 어딘가 의미 모를 불안감이 올라왔다. 내가 왜 불안감을 느끼지? 주희가 이 질문을 왜 한 거지? 속으로 수

많은 생각이 오갔지만 혜연은 굳이 그것에 대해 언급하고 싶지 않았고, 하려는 마음조차 먹지 않았다. '현실'에 대해서 이야기한다면 끊임없이 불행해질 것을 그들은 알고 있었기 때문이다. 아무것도 모르는 초등학생 때와는 다르게 이제 그들은 더 자라나고 있었다. 머리도, 몸도.

현실에 직면할 수 있는 얘기는 최대한 삼가는 것. 그것이 주희와 혜연 사이의 암묵적인 규칙이었다. 초등학생 때까지만 해도 천진난만하게 깊은 얘기까지 다 나누었지만, 중학생이 된 이후로 그들은 절대 우울하고 속 깊은 얘기를 꺼내지 않았다. 저도 모르게 꺼낸다 한들 장난스레 넘기기 일쑤였다. 서로가 서로의 삶에 대해 파고들고 얘기를 나누면 나눌수록 절망감이 깊어져서. 예전과 같이 '넌 병-신이야.' 같은 말로 넘길 수 없는 '진짜 현실'이라서.

혜연은 침을 꿀꺽 삼켰다. 그들은 친한 친구이지만 서로 정해진 선은 절대 넘지 않았다. 그것은 그들이 평화롭게 살아가기 위한 방법이기도 했으며, 평안하기 위한 방법이었다. 혜연은 그 짧은 순간 미칠 듯 답답했다. 그리고 고민했다. 역한 현실을 직면해야 하는지, 회피해야 하는지. 내가 이걸 묻는다면 우리는 또다시 역겨운 현실에 직면하게 되는 것 아닐까- 하고 고민했다. 그리고 지금 주희의 표정은 이미 현실에 직면하여 그 우울을 감당하고 있는 듯한 표정이었다. 내가 너에게 감히 물어도 될까? 너의 그 표정과 질문의 의미를. 내가 널 현실에서 끌어올려 주는 게 아닌, 현실을 상기시키는 실수를 하는 게 아닐까?

혜연이 한참이고 주희를 쳐다보았다. 갑자기 들이닥친 과한 걱정과 복잡한 마음을 어떻게 갈무리해야 할지 감도 잡히지 않아 멍청한 얼굴로 굳어버렸다. 주희는 저를 뚫어져라 쳐다보는 시선이 가실 생각을 않자, 고개를 획- 돌려 혜연을 쳐다보았다. 그러곤 **-뭔데!** 하며 평소와 같은 퉁명스러운 말투로 혜연에게 말했다. 저에게 말을 거는 주희의 목소리에 혜연은 순간 정신이 들어 주희의 눈을 똑바로 바라보았다. 평소와 같은 맑은 주희의 눈빛을 보자 혜연은 아- 하며 바보 같은 탄식을 내뱉었다. 혜연은 잠시 불안함에 빠졌던 제 생각을 들키기 싫어 우선 아무 말이나 꺼내 주희에게 말했다. 항상 그녀가 회피하곤 했던 방법이었다.

-그, 근데 바람으로 태어날 수 있어? 바람은 생명이 아니잖아. 그럼 바람으로 못 태어나는 거 아냐?

-흐음…. 꼭 생명이어야 하나? 그렇게까지 복잡하게 생각하지 말고 그냥 대충 생각해 봐. 바람이 된다면 내 마음대로 어디든 갈 수 있어. 가족도 없고 친구도 없어. 어쩌면 생각이란 걸 안 할지도 몰라. 그래도 바람은 산으로 가고 싶으면 산으로 가고, 바다로 가고 싶으면 바다로 갈 수 있어. 비행기를 탈 필요도 없는 데다가 사람처럼 걸어 다닐 필요도 없지. 우주 밖까진 못 가겠지만 지구상에서 제일 자유로운 거야 바람은. 나는 특히 그중에서도 진짜 진짜 자유로운 바람이 될 거야.

-뭐야 그게, 이상해!

혜연은 이해할 수 없어 표정을 잔뜩 찡그리며 대답했다. 바람이면 생각도 못 할 텐데, 아무리 자유롭고 싶어도 그렇지 생각도 못 할 만큼 자유로우면 그게 무슨 소용인가. 괜히 입을 삐죽이는데, 횡단보도 신호등의 불이 초록불로 바뀌었다. 주희는 걸어가면서 정말 이해할 수 없다는 표정을 하고 있는 혜연을 힐끔 보더니 더 장난스러운 웃음을 지으며 말했다. 혜연은 주희가 무슨 말을 하는지 집중하며 서둘러 발을 맞춰 걸었다. 주희를 빤히 바라보는 시선은 여전히 떼지 않은 채였다. 주희는 그런 혜연을 또다시 힐끔 바라보고선 혜연의 손을 휙 잡으며 얘기했다.

-안 이상하거든? 아니다, 나 생각이 바뀌었어. 나 그냥 자유로운 바람 안 하고 그냥 하루 종일 김혜연만 따라다니면서 괴롭히는 바람 할래. 머리 공들인 날에는 윙윙 불어서 머리도 다 망칠 거야.

그렇게 얘기하며 주희는 손을 맞잡고 있지 않은 반대 손으로 혜연의 긴 머리카락을 장난스레 찰랑- 넘겼다. 혜연은 그 손을 에이- 하고 쳐내곤 주희의 손을 꽉 잡으며 대답했다.

-뭐야, 그런 게 어딨어! 치사해! 그럼 난 사람 말고 물고기로 태어날래.

-갑자기 왜?

-그야 바닷속엔 바람이 안 부니까.

-헐, 웃긴다 너. 난 너만 졸졸 쫓아다니려고 했는데.

-네가 하늘에서 자유로우면 나는 바닷속에서 수영하면서 자유롭게 살 거야. 나는 바람한테도 자유로운 거야.

-그러다가 상어한테 콱 잡아먹혀라.

손을 맞잡은 채로 이야기하며 그들은 계속해서 걸었다. 항상 걷는 그 길이었다. 흥, 물고기가 되는 건 반칙 아냐? 완전 양아치. 뭐래, 그러는 주희 너는? 바람이 더 반칙이지. 그런 시시콜콜한 얘기들을 나누며. 출처 모를 불안감을 느꼈던 것도 잠시, 그들은 집으로 돌아가는 몇십 분 내내 절대 이루어지지 않을 작은 소망들을 끊임없이 나누며 환하게 웃었다. 언제 그랬냐는 듯 그 시간만큼의 그들은 현실에서 완전하게 벗어나 있었다. 제 진짜 삶을 외면하는 순간부터 그들은 세상 누구보다 행복해졌던 것이다.

너는 바람이고, 나는 물고기가 될 거야. 그렇게 우리는 세상에서 제일 자유로워질 거야. 어디에도 괴물은 없어. 아무것도 문제가 되지 않아. 그들의 머리카락이 자라고 키가 크는 몇 년이 흐를 동안, 유일하게 그대로인 길을 걸으며 높은 오르막길을 오르고 또 올랐다.

-그럼 혜연아, 물고기가 아니고 고래는 어때? 가끔 숨 쉬러 올라오면 내가 살랑살랑 불어서 인사해 줄게.

-음, 고래는 너무 크잖아. 난 적당히 작은 물고기로 할래. 그냥 물고기도 점프 정도는 할 수 있지 않을까?

-그런가?

-당연히 할 수 있겠지.

-그럼 상관없어. 네가 저 밑으로 가라앉아 버리지만 않으면 돼.

-바보야, 물고기가 어떻게 가라앉아. 사람이면 몰라도.

-그런가?

-너 방금 대화에서 그런가?라고 말한 것만 벌써 두 번째인 거 알아?

-어어…, 그런가?

-야!

주희와 혜연은 마주 보며 푸하하- 웃었다. 뭐가 그렇게 웃긴지, 한참이고 웃고 또 웃다가 누가 듣는다면 아주 바보 같다고 여길 얘기들을 계속해서 나누었다.

-태풍이 불면 거기 합류할 거야?

-아니, 그건 싫어. 혜연이 너는 무슨 색 물고기가 될 거

야?

-음, 나는 파란색 할래.

-왜?

-파란색이면 바다색이라 낚시꾼들이 안 잡아가잖아.

-바보야, 낚시꾼이 문제가 아니고 낚싯대에 있는 미끼를 네가 안 먹어야지.

-에이. 바보도 아니고 그걸 누가 먹겠어.

-김혜연 너 바보잖아.

손을 맞잡고 웃으며 얘기들을 나누다 보니 한창 하늘엔 노을이 지고 있었다. 계속해서 오르막길을 오르던 그들은 가장 가파른 계단 끄트머리에 잠깐 앉아 쉬기 시작했다. 추운 겨울이면 서둘러 집으로 종종종 걸어가지만, 오늘 같이 더운 여름날이면 자주 그늘진 계단에 앉아서 쉬어 가기도 했다. 계단에 앉아 쉬던 그들은 잠시 하늘을 바라보았다.

-혜연아, 작년에 기억나?

-뭐가?

-우리 막 사랑 주제로 글 썼던 거 있잖아.

-아…. 응, 그랬지.

-나는 우정으로 쓰고 너는… 애증이었나?

-…맞아.

-가만 생각해 보니까 우정이랑 애증은 참 비슷한 것 같아.

-…왜?

함께 하늘을 바라보다 말고 혜연은 고개를 내려 주희를 바라보았다. 주희는 여전히 하늘을 바라보고 있는 중이었다.

-발음도 비슷하고.

-응.

-우정도 사랑으로부터 비롯된 거긴 한데, 사실 싸우는 일도 잦잖아.

-그렇지.

-그런데 연인 사이처럼 헤어지지는 않아. 서로가 서로를 존경하지만 어떨 때는 미워하기도 해. 부러워하기도 하고. 난 그게 순수한 사랑이기도 하면서 순수한 미움이기도 한 것 같아.

-…….

-그리고 그런 과정들이 지나면 정말 서로는 돈독해지는 거겠지. 수많은 시행착오를 겪으면서 함께 성장하는 거야.

혜연은 여전히 주희를 바라보았다. 주희는 하늘을 바라보다가 힐끔 혜연을 쳐다보며 씨익 웃더니 다시 하늘로 고개를 돌렸다.

-그래서 우정과 애증은 한 끗 차이라고 생각해. 어쩌면 단어만 다를 뿐이지 내재된 뜻은 같지 않을까 싶기도 하고. 사랑하지만, 밉기도 한 거야. 닮고 싶으면서, 질투도 하는 거고. 하지만 그런 것들은 그 관계에 있어서 아무런 문제도 되지 않아. 그러니 그건 본질적으로 사랑이야. 다 포용하는 거야. 정말 그게 다야. 가족처럼 운명인 듯 당연한 수순을 따라야 하는 사랑도 아니니까. 그러니까 쉽게 말하자면 정해진 사랑 말이야. 당연히 행해야 하는 본능적인 사랑. 근데 우정은 우리가 선택한 사랑이잖아. 애증도 결국엔 우리가 선택한 사랑일 거고. 그래서 더 특별한 거야. 진취적이고 주도적인 마음에서 비롯된 거라고 생각하거든. 그런데 연인 관계와는 또 달라. 연인이라는 틀이 있다면 오로지 한 사람이 그 틀을 독점하는 거잖아. 하지만 매번 사람은 바뀌고. 그것도 나는 가족처럼 정해진 사랑이 아닐까 싶어. 그

래서 나는 우정과 그것에서 파생되는 애증과도 같은 감정들. 그것이야말로 진짜 사랑이지 않을까 생각해. 더군다나 가족으로 인해 느끼는 사랑을 경험하지 못했다면 더 그럴 테고…….

주희는 정해진 사랑이 아닌 선택한 사랑. 그것이 진짜 사랑이라고 말했다. 혜연은 잠자코 그 말을 조용히 듣기만 했다. 그런 모습과는 달리 속으론 많은 생각들이 오갔다.

그것이 진짜 사랑…. 하지만 당연하게 정해진 사랑마저 누리지 못한 존재들이 선택한 사랑은 옳을까, 문득 그런 의문이 들었다. 그러한 사랑마저 만끽하지 못한 자들은 감히 사랑을 선택할 수 있는 자격이 없을 텐데- 하는 그런 의문 말이다. 그리고 그 '감히 사랑을 선택할 수 없는 자'는 혜연 자신이었다. 나는 누군가를 사랑할 수 있는가. 내가 감히 그래도 되는 것일까. 주희처럼 자유롭고 아름다운 사람을, 나 같은 사람이. 그런 생각. 그리고 그 순간 아주 찰나이지만 더위를 조금이나마 식혀주는 바람이 불었다. 그 바람을 맞자, 혜연은 저도 모르게 한 가지 확신이 들었다. 아니, 정확히는 그 확신이 머릿속에 박혔다. 아- 그러니까, 나는 바람이 부는 순간마다 주희를 떠올릴 수밖에 없겠노라고. 제 의지와는 상관없이 갑작스레 찾아온 생각이었다. 혜연은 그 사실을 자각하자 어- 하며 작게 탄식을 내뱉었다. 그러자 제 말에 문제가 있는 것인가- 하는 표정으로 주희가 다시금 혜연을 바라보았다. 그런 주희를 바라보며 혜연은 고개를 좌우로 저으며 말했다.

-아니, 그냥. 바람이 불어서.

그 말을 하자 또다시 바람이 불었다. 이번엔 조금 길게 불어온 바람이었다. **-뭐야, 그게.** 하며 피식 웃은 주희의 머리카락이 흔들렸다. 사랑하지만 밉기도 하다고. 그리고 그게 다라고. 온갖 감정에 이유를 붙이고, 그리고 그 이유의 출처를 찾으려고 했던 혜연이었다. 그러나 주희는 그저 그게 다일뿐이라고 말하고 있었다. 애증과 우정은 한 끗 차이라며. 그렇다면 내가 주희를 여기고 있는 마음은 사실 우정과도 같은 마음인 것일까. 그런 순수한 사랑의 영역에 내 복잡하고 비밀스러운 부정적인 생각이 파고들어도 되는 것일까. 그리고…, 주희가 내게 품던 순수한 사랑의 영역인 우정이 어쩌면 애증일 수도 있겠다는 것을 그녀 스스로 깨달아 버린 것일까?

모든 것이 고요했다. 계단 아래 언덕의 작은 도로에는 택시 몇 대가 지나가고, 삼색 고양이도 담벼락 위에서 편히 멍을 때리고 있었다. 누군가가 멀리서 본다면 행복한 이야기밖에 없는 청춘 영화의 한 장면 같다고 생각했을지도 모른다. 소녀들의 헤진 운동화가 그들의 추억을 밟으며 닳고 또 닳아가고 있었다.

[08. 옳은 일]

15살의 9월, 초가을이 되었다. 주희와 혜연은 더 이상 방과 후에 정글짐으로 향하지 않았다. 이따금씩 슬러시를 사야 해서 그들이 졸업했던 초등학교 운동장을 가로질러 집으로 향하는 날도 있었지만, 주희는 그저 정글짐을 힐긋 바라보고서 지나치기만 했다. 물론 혜연 또한 굳이 정글짐에 가보자는 등의 얘기를 꺼내지 않았다. 정글짐에서 느끼는 자유는 주희만의 영역이지, 혜연이 침범할 수 있는 범위가 아니라고 생각했기 때문이다. 주희는 혜연이 아쉬워한다는 걸 아는지 모르는지 지나가는 소리로

-교복 입은 중학생들이 초등학생 노는 곳에서 놀면 웃기지 않아?

하고 얘기했다. 아직 채 어린아이 티를 못 벗은 그녀가. 맞지도 않는 큰 교복을 입고서 소매를 하염없이 걷어올리는 그녀가 자기는 성숙한 중학생이니 저곳은 내 자리가 아니다- 하고 말하고 있었다. 그리고 혜연은 그 말에 대답하지 않았다. 공감할 수 없었기 때문이다. 그저 무덤덤한 눈빛으로 저들의 온갖 추억이 묻혀있는 장소를 바라보기만 할 뿐인 주희의 옆모습을 볼 뿐이었다. 그리고 혜연은 이따금씩 주희의 눈에서 볼 수 있는 텅 비어있는 눈빛을 볼 때, 더 이상 불안해하지 않았다. 어쩌면 익숙함에 절여진 것일 수도 있고, 지나치게 회피를 한 탓일 수도 있다. 어찌 됐든, 주희가 굳이 언급을 하지 않았기에 혜연도 물어보지 않았다. 무서웠기 때문이다. 생각이 많고 항상 우울한 나의 실수로 주희까지 우울해 질까 봐. 또 나도 모르게 우리가 피

하고 있는 현실을 상기시켜 버릴까 봐. 혜연은 주희만은 지켜주고 싶었다. 하염없이 가라앉고 있는 제 모습을 들키기도 싫었으며, 주희를 끌어들이기도 싫었다. 그 탓일까, 충분한 감정적인 교류와 소통의 부재가 느껴졌다. 더 이상 깊은 마음이 이어지지 않고 여전히 초등학생 시절에 머물러 있는 것만 같았다. 외나무다리를 건너듯 아슬아슬하게, 언제나 긴장한 상태로. 현실과는 아주 멀리. 그것은 아마도 어떻게든 외면하고픈 저들의 상황을 정신적으로 버티기 위한 최후의 발악이었을 것이다.

가만 생각해 보면 주희는 혜연이 그런 깊은 질문을 하지 않는 것에 대해 한 번도 서운함을 토로하지 않았다. 혜연도 그것을 인식하고 있었다. 그리고 혜연 또한 주희가 서운해하지 않는다는 사실에 서운함을 느끼지 않았다. 혜연은 주희를 아직도 잘 몰랐다. 정확히 말하자면, 주희에 대한 진실한 감정을 몰랐다. 그러나 여전히 아주 좋아하기도 하고, 아주 미워하기도 했다. 그렇다면 주희의 말대로 이것은 우정인 것인가. 하지만 우정 같은 단어로 손쉽게 귀결될 감정이 아니었다. 이것은 우정보다 더 크고, 더 복잡하고, 더 어지러운 감정이었다. 혜연은 또다시 생각, 생각, 생각에 사로잡혔다. 완전하게 정의를 내리기엔 큰 어려움이 있었다. 하지만 그럼에도 불구하고 혜연은 주희를 떠날 수가 없었다. 미움과 함께 동경하는 마음도 날이 갈수록 커졌고, 혜연은 언제나 주희와 함께였다.

그들은 자기들도 모르게 그들만의 관계가 형성된 상태였다. 그렇게 아주 자연스럽게 서로를 건설하며 서로만이 유일한 정의가 된 채 살아왔지만, 이분법적으로 나누자면 비정상에 가까운 관계로 자리 잡힌 상태였다. 물론 '정상'의 범주가 어디까지 인지는 그들은 전혀 몰랐다. 동시에 그들이 '비정상'인 관계일 것이라고도 생각하지 않았다. 유일하게 서로를 건설하는 관계를 맺는다면 그 누구도 감히 침범할 수 없는 유대감이 생기곤 하니까. 제3자가 아무리 이상하다며, 틀렸다며 손가락질을 한들 그들이 만들어낸 바운더리 안에선 오로지 그들만이 옳았다. 그들이 정의한 것만이 실존하며, 적용되어 작동할 뿐이었다. 마치 고차원의 세계 같았다.

그들만의 관계에선 정상과 비정상의 기준이 존재하지 않았다. 우주에 절대악과 절대선이 존재하지 않는 것처럼 말이다. 그저 그들의 관계에선 이것이 '옳은 일'이었다. 그들은 언제나 옳았고, 옳을 것이다. 아무런 문제가 되지 않았다. 그저 그게 다였다.

그러니 전혀 이상할 것이 없었다.

[09. 정의]

어느덧 춘추복과 하복 혼용 기간이 되었다. 그러나 춘추복을 입기엔 아직은 더운 날씨였다. 유독 여름이 오래가는 해였다. 아침엔 일교차 때문에 쌀쌀해서 춘추복이 제격일지는 몰라도, 낮에는 꽤나 더웠다. 땀이 송골송골 맺히는 것이 찝찝했던 혜연은 하복과 춘추복 혼용 기간까지는 계속해서 하복을 입고 다닐 생각이었다. 그러나 주희는 더위를 많이 타는 체질임에도 불구하고 항상 춘추복을 입고 다녔다. 주희는 더위를 많이 타는데…. 혜연은 주희가 무척이나 신경 쓰였다. 그러나 너무 티를 내지는 않고 가끔 제 슬러시를 가득 덜어주곤 했다.

춘추복을 고집하는 이유는 아마 더 심해진 멍 자국을 가리려고 그러는 거겠지. 굳이 묻지 않아도 이제는 충분히 알 수 있는 사실이었다. 집으로 돌아가는 길, 혜연은 차마 다 가리지 못한 주희의 손목에 난 멍을 흘겨보았다. 옅은 멍도 아닌, 꽤나 진한 피멍이 들어있었다. 아프겠다. 혜연은 그 멍을 보고서 티 나지 않을 정도로 눈썹을 찌푸거렸다. 짙음의 정도로 보아하니 제 아버지에게 맞은 지 이틀도 채 되지 않은 상처 같았다. 주희는 바람 한 점 통하지 않는 빳빳한 셔츠가 꽤 더운지 손으로 부채질을 하며 몸을 휘적거렸다. 그러다 이따금씩 손목에 통증이 오는지 얼굴을 찌푸리며 손목을 주무르곤 했다. 그 모습을 본 혜연은 서둘러 항상 가지고 다니는 분홍색 휴대용 선풍기를 건네주었다. 그리고 혜연이 선풍기를 줄 때마다 주희는 항상 정수리 위로 그것을 가져다 댔다.

-그러지 말고 목이나 얼굴에 바람을 쐬는 게 어때?

-아냐, 싫어.

-왜?

-이렇게 하면 뭔가 바람이 나를 관통하는 기분이거든.

그 행동이 이해가 가지 않아 차라리 얼굴에 쐬라고 했더니 주희는 엉뚱한 대답을 했다. 혜연이 저게 무슨 이상한 소리인가- 싶은 표정을 짓자, 그것을 본 주희는 장난기 가득한 얼굴로 방긋 웃으며 턱 아래에 검지를 가져다 댔다.

-여기서 여기로… 이렇게! 꽥!

주희는 혜연을 바라보며 공포영화에 나오는 인형처럼 목을 괴상하게 움직였다. 혜연은 그런 모습에 꺄악- 하고 웃으며 장난스레 도망치고, 주희는 꺄르륵 웃으며 쫓아갔다. 그렇게 잠깐을 꺄아 웃으며 함께 뛰어가다 몸에 열이 올라 더워진 탓에 커다란 나무 그늘 아래에서 잠시 멈춰 섰다. 체력이 썩 좋지 않은 둘은 헉헉거리며 나무 아래에서 서로를 바라보며 피식피식 웃었다. 그리고 이젠 정말 더위를 못 참고 얼굴에 선풍기를 가져다 댄 주희를 바라보며 혜연은 처음 주희를 만났을 때의 기억을 떠올렸다. 12살 무렵 때엔 지금처럼 맞은 티가 심하게 나지 않았는데. 사실 혜연은 주희를 처음 보았을 때 잘 사는 집 딸로 생각하기도 했다. 항상 당당하고 포부 있는 그녀의 모습을 보고 어린 마음에 당연히 그렇게 생각했던 것이었다. 그도 그럴 것이 혜연 자신과는 정반대였으니까. 그래서 내가 주희를 많이 미워했지. 부러웠으니까 질투도 하며. 또 좋아하기도 하고. 혜연은 코 아래에 땀을 슥 닦으며 회상했다.

더위를 어느 정도 식힌 그들은 다시 높은 오르막길을 천천히 오르기 시작했다. 주희는 여전히 얼굴 정면에 선풍기를 갖다 대고 숨을 거칠게 고르고 있었다. 더운 데다가 오르막길이니 힘들 법도 하지. 더군다나 춘추복까지 입었으니. 그들은 집으로 향하는 길에 언제나 의미 없는 대화를 이리저리 나누곤 했지만 이젠 점점 그 말수도 적어졌다. 또 주희가 말을 걸지 않았기에 혜연도 굳이 말을 하지 않았다. 그저 입을 앙 다문 채로 언덕길을 오르는 주희의 옆모습을 힐긋 힐긋 흘겨볼 뿐이었다. 그것이 제가 주희에게 애증이라는 감정을 갖는 것에 대한 벌이었다. 스스로 내리는 벌. 이렇게라도 주희를 미워하는 것에 대한 면죄부를 얻기 위해.

요즘따라 현저히 느려진 주희의 걸음에 혜연은 주희가 일부러 집에 늦게 들어가려고 한다는 것을 진작에 알고 있었다. 235였던 그녀의 발이 240이 되었지만, 그에 맞는 새 신발을 사지 못해 구겨 신고 다니는 남색 신발이 눈에 띄게 느릿해졌다. 그래서 혜연도 점점 느려지는 주희의 걸음에 맞춰 걸었다. 높은 언덕 위에 위치했던 그들의 집까지 올라가기까지 꽤나 오랜 시간만큼 걸어야 했다. 그러나 키가 더 커서 초등학생 때보단 보폭이 충분히 넓어진 그들이었기에 더 빨라질 법도 한 도착시간이었다. 하지만 언제나 천천히 걸으니 이따금씩은 해가 질 무렵에 도착하기도 했다.

여름이었으면 해가 안 졌으려나-.

정자가 있는 작은 공원을 지나고, 할머니들이 모여 앉아 있는 쉼터를 지나고, 둘이 나란히 들어갈 수 없는 좁고 짧은 건물 사이 지름길을 지나 저녁 즈음에 도착할 때면 혜연은 항상 그렇게 생각했다.

*

-혜연아.
-응?
-너는 내가 미워?
-…어?

주희가 혜연에게 물었던 그날. 그날은 낮이 짧아지고 있는 가을이지만 유독 여름처럼 덥고 맑은 날이었기에 순간 한여름이라 착각했던 날이었다. 그럼에도 여전히 춘추복을 입고 있는 주희였고, 혜연은 언제나처럼 하복을 고수하고 있었다. 한쪽 팔에는 일교차 때문에 아침에 입고 왔던 남색 카디건을 대충 걸쳐둔 채였다. 주희의 집에 도착하기 몇 분 전. 이날도 여느 때처럼 더 늦게 움직인 탓이 해가 지고 있었다. 평소와 같이 오르던 계단 위 가로등이 깜빡일 때 뜬금없이 주희가 혜연에게 물었다. 놀라 바라보니 주희의 장난기 많던 표정은 없고 왜인지 모를 잡생각이 많아 보였다. 꽤나 복잡해 보이는 얼굴이었다. 그러나 그런 표정과는 상반되듯 꽤나 단순 명료하게 물었다. 너 밥 먹었어?라고 물어야 할 것 같은 말투로. 아무렇지 않은 듯 자기를 싫어하냐며.

더운 날씨에 손으로 부채질을 해 바람을 만들던 혜연의 발걸음이 멈췄다. 주희는 아랑곳 않고 그런 혜연을 조금 앞질러 올라가더니 휙 돌아 혜연을 정면으로 바라보았다. 혜연은 순간 제가 정글짐 아래에 있는 것 같은 느낌이 들었다. 보이는 것은 주희와 하늘. 그리고 구름. 주희의 뒤로 펼쳐진 핑크빛 구름이 아름다웠는데 왠지 모르게 그 구름으로 시선을 돌릴 수는 없었다. 오로지 주희만이 가득했다. 시야에, 마음에, 모든 것에.

그리고 그 순간에도 혜연은 아무 말도 할 수 없었다. 정말 밉더라도 아무렇지 않은 듯 아니라고 얘기를 해야 하는데. 이러다가 주희가 오해하면 어떡하지? 혜연은 무척 당황스러웠다. 갑작스러운 주희의 질문에 놀란 것은 아니었다. 자기의 마음이 들킨 것 같아서 놀란 것도 아니었다. 혜연이 가장 당황스러움을 느낀 이유는 제가 어릴 적부터 느끼던 주희에 대한 옅은 열등감과 미운 감정이 왜인지 느껴지지 않아서였다. 어떻게든 이 질문에 대답을 해야 하기에 그 짧은 시간에 감정을 뒤지고 뒤져 찾으려고 했지만 결국 찾지 못했다. 그 순간 계속 회피하고 회피하던 생각에 내던져진 기분을 느꼈다. 마치 우주 속 미아가 된 것 같았다. 주희의 말 한마디에 그녀는 아주 생각지 못한 타이밍, 방법으로 스스로를 고찰했다.

-어…….

…내가 정말 주희를 미워하고 있나? 혜연은 그 짧은 순간에 제 자신에게 질문했다. 웃기지만 혜연 스스로에게 한 번도 하지 않았던 질문이었다. 너무 많은 생각에 파묻혀 근본적이고 가장 중요한 질문을 늘 하지 않았던 것이다. 나는 주희에게 '애증'을 품고 있지 않았었나? 갑작스러운 주희의 질문에 왜 저런 말을 하는 거지? 하고 당황할 법도 하지만, 왜인지 그런 생각이 들지는 않았다. 심장이 빠르게 뛰었다. 직면하기가 두려웠다. 직면하는 순간 주희를 향한 감정이 뒤틀리고 엉망이 되어버릴까 봐. 평생 현실을 회피하며 살아온 혜연은 불쑥 제 앞에 나타난 현실 때문에 무척이나

혼란스러웠다.

-혜연아, 내가 미워?

주희는 발걸음이 굳은 혜연을 바라보며 한 번 더 물었다. 그러곤 계단을 한 칸 내려와 혜연과 마주 본 얼굴을 더 가까이했다. 혜연은 다시금 되묻는 그 말에 고개를 휙 들어 주희를 쳐다보았다. 순간 혜연은 더웠던 어느 여름날을 떠올렸다. 맞아, 주희 자신이 죽으면 바람이 될 거라고 말했던 그때였지. 당장이라도 훌쩍 떠나버릴 것 같았던 그 표정. 정말 바람이 되어버린 듯한 눈빛. 혜연은 왜인지 그때 자신이 느꼈던 감정이 다시 욱하고 올라오는 것 같았다. 정말 어디론가 떠날 것 같이 얘기했던 주희. 그 모습을 보고 알 수 없는 답답함을 느꼈던 제 자신. 그 기억이 왈칵 떠올랐다. 그 탓에 저도 모르게 고개를 찌푸렸건만, 자신을 미워하느냐고 혜연에게 묻는 주희는 미소를 짓고 있었다. 슬픈 미소도 아니고, 행복한 미소도 아닌 주희가 짓고 있는 미소는 말 그대로 '미소'였다. 주희는 반짝이는 가로등 아래에서 미소 지으며 물었다. 그 무해한 미소를 마주하는 순간 혜연은 알았다. 말 그대로 알게 되었다. 주희에게 느꼈던 미움의 출처를.

아….

내가 그동안 알량한 자존심에 없는 이유를 만들어 주희를 미워하고 있었구나. 아니, 어떻게든 미워하려고 하고 있었어. 내가 정말 미워해야 할 것은 나 자신인데, 나는 나를 미워할 용기도 가질 수 없어 닮고 싶은 주희의 뒤에 숨어 있었구나. 내가 나를 미워해 버린다면 그 미움을 감당할 수 없어서 그대로 날 놓아버릴 것 같았지만, 주희는 미워도 내가 놓지 못하니까. 왜냐하면 나는 주희를 누구보다 아끼니까. 너무 소중하니까. 너무나도 좋아하니까. 어쩌면 나 자신보다 더.

혜연은 그제야 깨달았다. 아주 어려웠지만 아주 쉽게 알았다. 나는 주희를 아끼는구나. 너무 좋아해서 부족한 나를 주희의 뒤에 숨겨두었던 거야. 존재만으로도 나를 지켜줄 수 있는 사람이라서. 그 자유로움이, 그 밝음이, 그 당당함이 나의 빈 영혼을 채워주고 있어서. 그래서 나는 나를 미워하는 대신 주희를 미워하고 있었던 거야. 그렇다 하더라도 나는 주희를 놓을 수 없으니까. 언제부터였을까, 12살 겨울? 13살 여름? 아니, 어쩌면 주희를 처음 보았던 그 순간부터…. 무척이나 자유로웠던 그 단발머리 아이의 눈을 마주친 순간부터 나는…. 손 쓸 틈도 없이 나는…….

혜연은 곧이어 생각했다. 어쩌면 사랑은 이런 형태가 아닐까. 내가 그토록 찾고자 했던 사랑의 의미는 이런 게 아닐까? 우정도 아니고 애증도 아니지만, 우정도 되고 애증도 되는. 그저 그 모든 것을 기꺼이 포용하는. 순수하게 사랑하고 순수하게 미워하는. 어떤 일에도 절대 놓을 수 없는. 존재만으로 나를 채워주는. 내 미움을 다 가져가도 절대 밉지 않은. 그렇구나. 사랑이구나. 내가 주희를 사랑하고 있구나. 우정과 애증 모두 이 사랑으로부터 비롯된 것이었구나. 그동안 절대적인 사랑을 생각했을 땐 무조건 에로스적, 그러니까 성애적 사랑만이 유일무이한 것이지 않을까- 하고 생각했었다. 그러나 실은 그게 아닌 것처럼 느껴졌다. 어쩌면 가장 '사랑'의 형태에 가까운 것은 이런 것 아닐까. 그렇게 생각했다. 아니, 확신했다. 그리고 혜연은 그 확신이 든 지금 바로 제가 그토록 갈구하던 질문에 답을 내려야겠노라고 생각했다. 이젠 희미해진 괴물이 죽어버렸을 때부터, 그리고 그런 괴물을 사랑한다고 말하며 눈물을 쏟아내는 엄마를 마주했을 때부터 간절하게 답을 찾아 헤매던 것.

사랑을 무엇이라 명명하면 좋을까.

그래….

주희.

주희로 하자.

혜연은 비로소 사랑을 새로이 정의했다.

사랑은 '주희'였다. 그게 다다. 착한 주희도, 자유로운 주희도, 우정을 향유하는 주희도 아닌. 그냥 주희. 오로지 그것. 그랬구나. 이 감정 모두 그런 거였구나. 난 주희를 사랑하고 있구나. 주희를 바라보며 혜연은 생각했다. 그리고 그것이 정답이 아닌지는 아무 상관이 없었다. 그저 혜연이 그렇게 생각했으니 그것이 참이었다.

-…아니.

-히- 나 미워하지 마.

혜연은 미소 지으며 대답했다. 주희처럼 맑은 미소는 아니지만, 최대한 밝은 미소를 지으면서. 왠지 울컥한 마음에 목이 막혀 대답이 조금 늦어졌다. 그럼에도 주희는 아무 내색 없이 더 환하게 웃어주었다. 순간 시원한 바람이 불어 혜연과 주희의 머리칼이 흩날렸다.

…바람이 분다. 그리고 내 앞엔 주희가 있다.

바람에 흩날리는 머리카락 때문에 시야가 조금 가려졌지만, 그래도 주희가 환하게 웃고 있다는 사실은 명확하게 보였다. 사실은 내 마음과 내 감정 그 모든 것을 알고 있는 듯한 미소였다. 그럼에도 그녀는 더 밝게 웃어주었다. 아주 갑작스레, 생각지도 못한 날에 거짓 없는 짧은 진심들이 오갔다. 그녀들은 굳이 어떤 감언이설들을 첨언하지 않아도 서로의 마음을, 감정을 느낄 수 있었다. 누구보다 아끼니까 당연했다.

하복과 춘추복을 입은 두 소녀가 느리게 깜빡이는 가로등 아래에서 서로를 바라보며 미소 지었다. 자꾸 꺼졌다 켜지는 가로등 때문에 살짝 어두워질 때도 있었지만 그것은 큰 문제가 아니었다. 하늘엔 노을이 아름답게 펼쳐져 있어 서로의 표정이 완전히 보이지 않는 것도 아니었기 때문이다. 혜연은 알 수 있었다. 아- 저 미소는 행복한 미소다. 초등학생 시절 그때처럼 불안감을 느낄 필요도 없는 한치의 의심 없이 행복한 미소. 주희는 지금 나로 인해 행복하네. 나도 주희로 인해 행복하고.

서로를 건설하는 비정상적이고 이상한 관계 안의 그들이 순간 한층 더 성숙해졌다. 아마 그들은 계속해서 비정상적일 것이다. 계속해서 이상할 것이고, 가끔은 불같이 화내며 싸우기도 하겠지. 하지만 그렇다 해도 괜찮을 것 같았다. 사랑이니까. 그 모든 것이 결국 사랑으로 직결되니까. 그들에겐 이제 한치의 의심조차 남아있지 않았다. 맞아, 인생을 뒤바꿀 중요한 사건은 생각지도 못한 작은 점으로부터 발현된다고 했었다. 우주의 시작인 빅뱅처럼. 그렇게 한순간에.

혜연과 주희는 너무나도 평범한 오늘을, 덥고 습한 가을의 이름을 한 여름날의 오늘을 평생 잊지 못할 것이다. 고작 몇 마디 나눈 것이 다였지만, 그로 인해 바뀐 모든 것을 잊지 못할 것이다. 그들의 우정이 하늘을 장식한 노을처럼 짙어졌다.

-예뻐서.

-응?

-오늘 하늘이 너무 예뻐서 그랬어.

-그게 뭐야.

-푸르고, 주황빛이고, 분홍빛이라서. 너무 예쁘고 아름다워서. 그래서 꼭 오늘 그래야 할 것 같았어.

주희가 그런 말을 하더니 이내 히죽 웃으며 손을 내밀었다.

-미안해.

-뭐가?

-음……. 당황스럽게 한 것 같아서.

-뭐래, 바보야.

혜연은 고작 그런 것으로 미안하다고 하는 거냐고 덧붙이며 그 손을 맞잡았다.

-나 미워하지 말라구. 알겠지?

혜연은 그 말에 대답을 하지 않고 덩달아 함께 웃기만 했다. 미워하지 말라니, 그런 바보같은 소리가 어디 있어. 내가 널 어떻게 미워하겠어. 내가 미워할 건 나 뿐이야. 그리고 혜연은 굳이 이 말은 하지 않았다. 정말 스스로 다 이겨내고서 말해주고 싶은 욕심이 생겼기 때문이다. 작열하는 태양과 드넓은 노을의 범위 아래에서 그들은 아주 환하게 웃었다. 주희의 집까지 채 3분도 걸리지 않을 만큼 거의 다 온 상태였지만, 그래도 그들은 서로 노을 아래에서 천진난만하게 웃으며 손을 잡은 채로 휘적휘적 걸었다. 이윽고 주희의 집에 도착하자 짙은 녹색 대문을 열고 주희가 뒤를 돌아보았다.

-잘 가.

-응. 너도 잘 가.

-나 미워하지 말고.

-아, 진짜! 안 미워한다니까!

혜연이 얼굴을 붉히며 작게 소리치자 주희는 입을 막고 허리를 숙이며 꺄르르 웃었다. 뭐가 그렇게 웃긴지 한참을 웃었다. 이상한 포인트에 꽂혔는지 웃다가 눈물을 흘리기도 했다. 그 웃음에 민망해진 혜연은 괜히 주희를 노려보았다.

그런 혜연을 본 주희는 눈물을 닦으며 **알겠어 안 할게-** 하고 달래듯 말했다. 허리를 젖혀 웃으라 살짝 올라간 교복 셔츠를 다시 치마 안으로 집어넣었다. 그 와중에도 주희의 올라간 입꼬리는 다시 내려올 기미가 안 보였다. 혜연은 치- 하고 계속 노려보았지만, 사실은 혜연도 기분이 좋았다. 주희의 올라간 입꼬리 덕분이었다. 정글짐에서 보았던 그 모양대로. 아주 행복한 미소.

-아, 사라졌다.

-웅?

-위에, 하늘.

교복을 다 정리한 주희가 하늘을 가리키며 말했다. 혜연은 그제야 처음으로 하늘을 올려다보았다. 주희의 얼굴 뒤로 희미하게 깔려있던 아름다운 주황빛 하늘은 사라지고, 점점 어두컴컴해지고 있었다.

-그치. 사라졌지.

-웅. 사라졌다.

-아쉽다.

-괜찮아, 내일도 보면 되지.

-내일도 이렇게 예쁜 하늘일까?

-그건 모르겠는데.

-아니야. 아마 오늘이 제일 예쁜 하늘일 거야.

-많이 중요해?

-웅.

-나는 못 봤는데.

-음… 괜찮아. 앞으로도 이런 하늘은 많을 거야.

-오늘이 제일 예쁠 거라며.

-그건 내 기준이지. 혜연이 너는 오늘 하늘 제대로 못

봤지?

-음… 응.

-바보야. 잘 봐. 금방 나타났다가 금방 사라지잖아. 언제 또 볼 수 있을지 몰라. 아쉽잖아. 금방 밤이 되어버리는데.

-치, 알겠어.

왜인지는 모르겠지만 주희는 속상한 표정을 하고 있었다. 혜연은 너를 보느라 하늘을 볼 겨를이 없었다는 말을 할까 했지만, 왠지 분위기를 깨는 것만 같아서 이야기하지 않았다. 오늘이 제일 예뻐도 뭐 어때. 다음에 더 예쁜 하늘이 나타날지 어떻게 알아. 대신 혜연은 그렇게 말하며 얄궂게 웃어보았다. 주희도 표정을 풀고 똑같이 웃었다. 혜연은 저 미소가 참 좋았다.

마지막으로 건넨 인사는 평소보다 더 담백한 인사였다. **안녕-**하며 마지막으로 주희가 빼꼼 인사한 후 대문이 닫히자 혜연은 뒤로 빙글 돌아 하늘을 잠깐 올려다보았다. 혜연은 몇 년간 묵혀왔던 응어리가 잠깐 나눈 몇 마디로 인해 모조리 싹 사라진 기분을 느꼈다. 이럴 수가 있나? 하며. 그리고 살짝 후회하기도 했다. 이렇게 금방 풀릴 줄 알았으면 한 번은 먼저 말해볼걸. 계속 회피하지 말고 말했으면 더 빨리 알았을 텐데. 그래도 지금이라도 알게 되어서 다행이다. 혜연은 살짝 후회하며 자책했다. 하지만 곧 생각의 주제가 바뀌었다. 혜연은 이제 자기 자신을 미워할 용기가 생겼다. 그런 확신이 생겼다.

이제 마음껏 나를 미워해야겠다. 그러다가, 이겨내야겠다. 혜연은 가장 먼저 제가 해야 할 것은 스스로를 미워하는 것이라고 생각했다. 그럼에도 혜연은 방긋 웃었다. 주희가 있으니까 난 할 수 있을 거야. 이제 더 이상 주희의 뒤에 숨지 않을래. 주희랑 함께 이겨낼래. 이제 다 알았으니까. 주희 덕분에 알 수 있게 되었으니까.

혜연은 하늘을 바라보며 생각하다가 삐져나온 셔츠를 정리하고 집으로 향했다. 주말엔 주희랑 오랜만에 정글짐을 가자고 해야지. 그날엔 나도 위 칸에 올라가 봐야겠다고 말해야겠다. 초등학생 시절보다 더 자라난 우리기에 훨씬 좁겠지만, 그래도 꼭 올라가 봐야지. 그리고 주희에게 보여줄 거야. 내가 보았던 네 모습이 얼마나 자유롭고 아름다워 보였는지. 팔을 벌리고 바람을 맞던 너와 푸른 하늘, 그것이 얼마나 아름다웠는지 내가 꼭 보여줄 거야.

혜연은 서둘러 집으로 향했다.

그리고 그날 주희는 자살했다.

[10. 자유]

한지가 흩날리는 선풍기 앞에서 바람을 쐬다가 이윽고 눈을 천천히 떴다. 맞아, 그런 때도 있었지. 습한 날씨 때문에 머리카락이 몇 가닥 얼굴에 붙어있었다. 그것이 거슬려 긴 머리칼을 두어 번 쓸어넘겼다. 그러곤 나도 모르게 집을 또다시 둘러보았다. 과거의 추억에서 벗어나 또다시 현실을 직면할 시간이다.

숨이 막힐 것만 같은 원목 가구가 가득 놓인 채 불을 켜지 않아 살짝 어두운 거실. 그리고 그 한가운데에 방치된 액정이 깨진 휴대폰에서는 계속 똑같은 노래가 흘러나왔다. 오늘만 이 노래는 몇십 번은 반복해 들었던가. 두어 번 눈을 강하게 깜빡이다 휴대폰을 집어 들고 노래를 껐다. 그리고 노래를 끈 특별한 이유 같은 건 존재하지 않았다. 그저 작은 변화를 주고 싶다는 변덕이 일순간 일었기 때문이다. 그 덕에 순식간에 집안이 고요해졌다. 누가 억지로 한 것도 아닌 스스로의 행동으로 조용해진 것이지만, 순식간에 적막이 깔리며 바뀐 집 안의 분위기가 어색해 괜히 두리번거렸다. 언제나 똑같은 공허한 거실이다. 아, 어쩌면 미치도록 답답해 나를 옥죄여오는 거실일 수도 있고. 나를 유일하게 감싸는 것은 오래된 선풍기가 달달달 돌아가는 소리뿐이었다. 저 투박한 소리 말고 한지가 스치는 부드러운 소리가 났으면 좋겠는데. 조금 더 한지를 붙여둘까. 돌아가는 파란 날개를 단 선풍기를 빤히 쳐다보다가 무릎을 감싸 안았다. 노래 가사가 뭐더라…. 의식의 흐름에 몸을 완전히 맡겨 매번 듣는 노래를 자연스레 떠올렸다. 매번 듣고 심지어는 방금 전까지 듣던 노래였지만 그 음절들은 그저 추상적인 존재로서 떠돌다 흩어졌고, 머릿속으로 선명히 들어온 것은 그중 고장 몇 문장밖에 되지 않았다. 그래도 멜로디는 충분히 익숙했기에 가사를 떠올리려 몸을 조금씩 흔들면서 처음부터 노래를 흥얼거렸다. 그러나 도무지 기억이 나지 않아 얼마 안 가 그것 또한 멈췄다. 두통이 일어나거나 하지는 않았지만, 기억이 나지 않아 답답한 마음에 이마를 짚고 있다 다시 고개를 들어 올렸다. 그러곤 조금 멀리 놓아둔 휴대폰을 집어 들었다. 화면을 한 번 터치하니 떠오른 잠금화면에 크게 자리 잡은 음악 위젯. 그것을 터치해 음악 앱에 접속했다.

[이루리 – 물고기]

작게 가수와 노래 제목을 중얼거렸다. 그러곤 잠시 일시정지가 된 노래를 처음으로 돌려둔 뒤 가사 창을 켜 다시 듣기 시작했다. 묘한 피아노 소리가 울리고 이윽고 몽환적인 목소리가 흘러나왔다.

–꼭 곁에 있어줘. 끝없이 사랑해 줘. 숨이 차게 너에게 잠겨 가득히. 꼭 나를 지켜줘. 끝없이 다가와 줘…….

아- 그렇지, 이런 내용이었지. 맞다.

잊었던 가사들이 다시금 그 문자를 맞이하고 나니 아주 선명하게 재차 다가왔다. 끝없이 사랑해 줘. 너에게 잠겨 가득히. 꼭 나를 지켜줘. 그리고 꼭 곁에 있어 달라고…. 그래서 알 수 없는 그는 노래의 주인공 곁에 머물렀을까? 끝없이 사랑했으며, 지켜주었을까? 노래의 주인공은 누구에게 사랑을 야기하곤 한 걸까. 일단 가사를 따라 노래를 부르긴 했건만 그 가사에 공감할 수 없었다. 나에겐 더 이상 나의 곁에 있는 사람도 없고, 나를 사랑해 주는 사람도 없다. 그런데도 계속해서 그 노래를 듣고 또 들었다. 동시에 끝까지 따라 불렀다. 이제는 없는 무언가를 떠올리면서.

공감을 할 수는 없었지만 나는 상상할 수 있었다. 물고기가 된 나를 말이다. 그리고 '물고기'라는 단순한 제목이 좋았고, 물고기가 되어 어딘가로 헤엄치는 가사의 내용도 좋았다. 한때 장난스레 원하곤 했던, 안 될 것을 뼈저리게 알지만 그런 상상만으로도 행복했던. 시간이 지날수록 간절히 원하고 있는 그 꿈들을 대신 이룬 것만 같은 기분이 들어서. 그래서 이 노래가 무척이나 좋았다.

어쨌든 상상했다. 숨 막히고 끓어오르는 여름의 도시 속에서 벗어나 물속에 잠겨 자유롭게 헤엄치는 나를.

–날 자유롭게 해줘. 네 품 속에 날 가득 안고 이 밤을, 파도를, 아픔을 다 건너갈 수 있도록. 너에게로 가…….

노래 가사처럼 나는 자유롭고 싶었다. 우울함에서, 무기력함에서, 나를 집어삼키는 많은 생각에서, 의미가 없다면 그 무의미로부터. 그리고 더 나아가 이 현실에서조차. 떠나고 싶다. 너에게로 가고 싶다. 너에게로, 너에게로, 너에게로….

그 순간 나도 모르게 환하게 미소 지었다.

*

이윽고 작게 실소하기를 멈추고 거실에 걸려있는 작은 시계를 보았다. 현재 시각은 오후 7시 43분. 해가 늦게 지는 여름 때의 이 시간은 노을이 질 시간이었다. 곧장 유일하게 커다란 모양을 한 거실의 창문에 시선을 돌렸다. 푸른색 커튼 사이로 하늘에 노을이 아름답게 깔려져 있다. 그것을 힐끔 본 뒤 망설임 없이 창문을 향해 다가갔다. 가는 도중 빈혈이 일어 살짝 휘청거리긴 했지만, 넘어지지는 않았다. 그러곤 커튼을 확 걷고 창문을 활짝 연 후 거실 중앙으로 돌아가 발가락으로 툭 치며 낡은 선풍기의 전원을 껐다. 낡았지만 탈탈탈 돌아가며 억지로 나를 시원하게 만들어주던 선풍기를 끄자 한지가 축 늘어지고 순식간에 무거운 습도가 몰아쳐왔다. 제아무리 해가 질 시간이라고 한들 여름의 무더위는 쉽사리 가실 생각을 하지 않았다.

불행 중 다행인 것은 나는 특이하게도 그 더위와 습함을 무척이나 좋아했다. 찐득찐득하고 불쾌한 감정이 듦과 동시에 물속에 완전히 잠긴 것만 같은 묘한 기분을 느낄 수 있었기 때문이다. 아마 이 이상하다면 이상한 취향은 중학교 2학년 가을 때부터 생겼을 것이다. 그전까지는 땀 나는 게 너무 싫어 춘추복 혼용 기간에도 하복만 입고 다녔는데 말이지. 때때로 습함의 농도가 아주 짙어서 코로 숨을 들이쉴 때면 턱 막히는 답답함을 느끼기도 했지만, 그럴 때면 더더욱 그 감각을 만끽했다. 난 이 시간이면 항상 창틀에 잔뜩 기댄 채로 하늘을 바라보았다. 계절을 불문하고 언제나 하늘을 바라보기 위해서. 물론 오늘이라고 다를 것은 없었다. 언제나처럼 몸을 쭉 뺀 채로 안온한 불쾌함을 자유로이 만끽했다. 난 모든 하루 중 이 순간만을 가장 좋아한다. 노을이 지는 하늘이 금방 나타났다가 금방 사라져니까. 그러고 밤이 다가오니까. 그리고 그 고요함을 느낄 때에 물속을 조용히 유영하는 기분이 들고, 그날이 떠올라서. 네 얼굴이 떠올라서. 습한 불쾌함이 내가 살아있음을 대신 입증해 주는 것 같아서. 그러다 순간 나도 모르게 울컥하는 마음이 일어 살아있음에 왜 내가 안심해야 하는 것인가-라는 생각이 잠깐 스쳐 지나갔다. 하지만 나는 이 순간만큼은 깊게 생각하고 싶지 않았다. 정말 지금만큼은 모든 것으로부터 자유롭고 싶었다. 난 아직도 그 아이를 너무나도 닮고 싶다. 그것은 변치 않고 여전하다. 나는 불어오는 바람을 맞다가 잠시 뒤 팔을 양옆으로 크게 펼쳤다. 이거라고 했지, 타이타닉의 잭과 로즈.

사실 나는 아직도 타이타닉을 보지 않았다. 그리고 평생 보지 않을 것이다. 주희의 자유로운 모습에 다른 모습이 씌워지는 것은 싫었다. 그러니 영영 간직할 것이다. 주희만의 그 모습을. 그 자유를.

난간에 손을 오래 얹고 있었던 탓인가, 짙은 쇠 냄새가 묘하게 손에 남아돌았다. 그러나 크게 신경 쓰지 않았다.

[기억.]

-주희야, 네가 매일 정글짐에서 팔 벌리고 있는 게 잭과 로즈라고 그랬잖아.

-응, 그랬지.

-궁금한 게, 그래서 잭이랑 로즈는 어떻게 돼?

-에이, 말해주면 스포라서 안돼. 혜연이 너 아직 타이타닉 안 봤잖아.

윤슬 빌라 우리 집. 벽에 기대어 무릎에 멍크림을 바르던 너는 힐끔 날 바라보며 말했어.

-아니야, 괜찮아.

-엄청 중요한 내용인데, 진짜로? 너 안 볼 거야?

-나 원래 스포 당하고 보는 거 좋아해. 말해줘. 궁금하다.

내가 기대에 찬 눈빛을 하고 바라보자 너는 멍을 문지르다가 연고를 내려두고 나에게 다가왔지.

-네가 말하라고 했다? 사실… 그, 잭은 죽거든. 그래서 둘은 결국 안 이어지고 끝나. 서로 엄청 사랑했는데, 불쌍하지.

-어? 진짜? 왜 죽는데?

-바다에서 죽어. 망망대해에서. 배가 침몰해서 가라앉아 버리거든.

-그럼 로즈는 어떻게 되는데?

-로즈는 잭이 희생해서 혼자 살아남았어. 아마 죽기 직전까지 평생 잭을 그리워하면서 살겠지?

-음, 그렇구나….

-응. 안쓰럽다.

나는 가만히 생각하다가 널 보면서 말했어.

-그런데 주희야.

-응?

-난 둘이 결국 안 이어진 건 아니라고 생각해.

-어? 아니지. 잭이 결국 죽었잖아. 그럼 안 이어지고 배드 엔딩으로 끝난 거 아니야?

-그래도 죽기 직전까지 서로 사랑했잖아. 죽어서도 로즈는 잭을 계속 사랑하고, 잭도 로즈를 사랑하는 채로 죽었으니 계속 사랑하는 거나 마찬가지야. 가장 아름다운 마음을 지닌 채로 헤어졌으니까. 그럼 이미 충분히 이어져있는 거야. 절대 끊어지지 않는 마음이.

-음, 그런가….

-그럼 배드 엔딩은 아니지 않을까? 서로 사랑하는 마음은 영원히 남아서 그 둘을 이어주니까. 물론 그립고 슬프겠지만.

-그렇네, 서로 사랑하니까.

-응, 사랑하니까.

맞아, 사랑하니까 괜찮을 거라고 그랬어. 영원히 끊어지지 않을 거라고 했어.

[11. 바다]

현재 내가 사는 빌라는 다산 성곽길에 위치해있다. 그 이름도 성곽 빌라. 대석동에서 중학교 3학년 때 이사 온 집이었다. 대석동 만큼은 아니지만 꽤나 불편한 것은 여전한 동네였다. 한 번 외출이라도 하려면 버스 정류장은 물론이오 지하철역까지 꽤 오랜 시간이 걸리곤 했다. 돌아오는 것 또한 말할 것도 없었다. 눈이 잔뜩 내리는 겨울날이면 길이 미끄러워 근처 충현 슈퍼에 가는 것도 여간 쉬운 일이 아니었다. 그러나 한 번도 이 마을이 싫다고 느끼지 않았던 이유는 지금 내가 바라보고 있는 전경 때문이었다. 대석동에서 지냈던 윤슬 빌라의 전경과는 정반대였다. 그곳에선 이렇게 탁 트인 시야라곤 전혀 느낄 수 없었다. 그때도 3층 빌라였기에 바깥 풍경이 보일 법도 하지만, 집의 시야는 모두 다른 빌라에 막혀 답답할 뿐이었기 때문이다. 그러나 이곳에선 아무리 높은 건물이라 한들 모두 작은 미니어처처럼 보였다. 드넓은 서울을 내려다볼 수 있는 높은 지대. 답답한 도시에서 벗어난 것처럼 느껴지는 뻥 뚫린 하늘. 모든 것이 내 시야 아래에 있었다.

난 그 모습이 왠지 통쾌하다고 느끼기도 했다. 승자가 정해지지 않은 싸움에서 내가 이겼다고, 이건 내가 이긴 거라고 억지로라도 우기고 싶은 유치한 감정이 샘솟았다. 그런 생각에 또 괜히 키득거리다 습한 기운과 함께 불어오는 뜨거운 여름 바람을 만끽하려 난간을 붙잡던 손을 떼고 넓게 벌렸다. 세상 모든 사람이 나를 향해 불어오는 것만 같은 기분을 느꼈다. 주희도 아마 이런 기분이었겠지. 그때 그 정글짐에서.

그 순간, 혜연은 완전한 자유를 완벽히 모방했다.

노을을 구경하기 위해 이 시간대에 나온 것이지만, 더 이상 구경하지 않고 눈을 질끈 감았다. 노을보다 중요한 일이 있었기 때문이다. 평소보다 더 세차게 불어오는 바람에 몸을 맡겼다. 그 탓에 엉망이 되었다. 그럼에도 아주 행복했다. 눈을 감은 탓에 시야가 차단되니 청각에 집중이 쏠렸다. 바람 소기에 묻혀 잘 들리지 않던 노랫소리가 조금씩 조금씩 귀를 파고 들어왔다. 분명 아까 전까지만 해도 가사를 잘 몰랐는데, 지금은 아주 선명하게 들려온다. 거실에 아무렇게나 놓인 휴대폰에서 흘러나오는 노래가 사라지지 않고 곁에 머물러있다.

–숨이 차게 나를 꼭 채워줘, 가득히. 조금 조금 조금씩 너에게로 가…….

어디로 가는 것일까. 노래의 주인공은 결국 어디로 다다르게 되었을까. '그'가 사랑해 마지않는 이에게로 떠난 것일까, 아니면 사무치게 그리운 탓이 어떻게든 잊고자 물속으로 잠겨든 것일까. 나라면 어땠을까, 나라면….

바야흐로 그녀에게 바다가 닿았다.

[12. 편지]

혜연이에게.

안녕, 혜연아. 나 주희야. 오늘은 정말 가을 같지 않은 가을이네. 정말 한여름 같았어. 여름일 적에 네 분홍색 선풍기 덕분에 견뎠는데, 나한테 양보하느라 많이 더웠지? 너무 고마워. 음… 무슨 말을 써야 할지 모르겠다. 우선, 놀라게 해서 미안하고 또 먼저 가서 너무 미안해. 사실 나 정말 많이 고민했어. 두 번 다시 너를 볼 수 없고, 생각도 할 수 없다는 사실이 너무 숨이 막혔거든. 그런데 그럴 때마다 눈앞에 크게 다가오는 현실이 나를 점점 죽여가더라고. 내가 죽지 않으면, 그 현실이 나를 먼저 죽일 것 같아서. 그게 너무 무서웠어. 진짜 바보 같지. 겉으로는 티를 정말 안 내고 싶었는데, 속으로는 너무 힘들더라. 너는 마음도 약하고 여려서 내가 지켜줘야 하는데, 되려 내가 너무 약한 사람이라 미안해. 정말로….

혜연아, 난 내가 궁극적으로 원하는 자유란 뭘까 정말 많이 생각을 해왔어. 결론은 나를 옥죄여오는 모든 문제에서 벗어나 조금은 행복해지는 것. 딱 그 정도의 자유로움을 원하는 거였어. 그런데 그럴 수 있는 방법은 이것밖에 없더라. 죽음이 자유였어. 그것만이 유일한 자유였어. 오로지 그것만이….

그리고 그 사실을 알았을 때 나는… 음 뭐랄까, 조금은 기뻤던 것 같아. 이렇게 쉬운 방법이 있었는데 빙빙 돌아가고 있었구나- 하면서 생각했거든. 진짜 이상하지? 죽음을 받아들였는데 기뻐하다니. 그런데 나에게 그것은 그저 죽음

이 아니었어. 그것보다 더 뜻깊은 열쇠였어. 구속구를 해제할 열쇠. 그걸 알았을 때가 아마 12살 때였던 것 같아. 너한테 병신이라고 막말했던 그때 즈음 일 거야. 실은 나, 그때 일을 계속 마음에 담아두고 있었어. 잘 알지도 못하면서 나쁜 말 해서 미안해. 이 말을 꼭 네게 전하고 싶었어. 이제서야 솔직해진 나이지만, 난 불행을 이겨내는 너만의 방법을 가진 게 너무 부러웠어. 부러웠고 또 닮고 싶었어. 나는 그러지 못했거든…. 그래서 그랬던 것 같아. 괜히 질투나서. 병신이라고 욕한 것 말이야. 그랬으면 안 됐던 건데. 얼굴 보고 사과해야 하는데 이렇게 편지로 써서 미안해. 그리고 정말 고마워. 그때 너를 만나지 않았다면 나는 지금까지 버틸 수 없었을 거야. 네가 나를 어떻게 생각할지는 몰라도, 그때의 너는 나를 구해냈거든. 겉으로는 괜찮은 척, 자유로운척하지만 속은 썩어 문드러져가는 나였는데, 너 덕분에 내가 지금껏 살아왔어. 너의 존재가 나를 살렸어. 바보 같고 가끔은 밉기도 하지만 너는 나에게 있어서 없어선 안 될 존재야.

아, 혹시 너 그때 기억나? 그때도 12살 때였나… 내가 너한테 정글짐 위로 올라와보라고 했던 적 있잖아. 사실 꼭 보여주고 싶었거든. 그 위에서 내려다보는 광경이 어떤 건지. 아주 거창하진 않지만 경비 아저씨도, 선생님도, 저 멀리 주차장의 차들도 아주 작아서 미니어처처럼 보이고 내가 꼭 정말 바람이 된 것만 같더라고. 아주 자유로운 바람. 그치만 너만은 보이는 게 달랐어. 정글짐 기둥 때문에 네가 가려져서 잘 보이지 않는데… 그때는 잘 몰랐거든? 그런데 이젠 알 것 같아. 너는 미니어처가 아니고… 물고기. 아주

작은 물고기 같았어. 매섭게 파도치는 바다 아래에 홀로 평화로운 물고기 있잖아. 다들 바쁘게 어디론가 걸어가고, 술래잡기를 하면서 뛰어다니고 있는데 오직 너만 고요했어. 평화롭고, 조용했어. 그때 괜히 가슴이 너무 답답하더라고. 네가 그대로 가라앉아 버릴 것 같아서. 그렇게 사라질 것 같아서. 올라오라는 내 말에 됐다며 안 올라온다고 하는 네 표정을 보니 널 정말 놓칠 것 같았어. 아니다…. 그땐 마치 … 널 이미 놓쳐버린 것 같았어. 그래서 네가 나를 살려줬던 것처럼 나도 너를 꺼내주고 싶었어. 네가 매섭게 파도치는 바닷속으로 혼자 가라앉지 않도록. 그런데 혜연아, 이젠 안 그래도 될 것 같더라. 이젠 내가 널 잡아주지 않아도 가라앉지 않을 것 같아. 내가 너를 지켜줘야 한다고 항상 생각했는데, 어느샌가 너는 나보다 더 성숙해져 있었어. 가끔은 네가 날 지켜준다 느낄 때도 많았어. 아니, 항상 그랬던 것 같아. 네가 바닷속에서 가라앉지 않고 바닷속을 유영하는 법을 배운 게 느껴져. 사실 너를 아예 수면 위로 꺼내주고 싶지만, 그건 내 과한 욕심이겠지. 오지랖일 수도 있고. 그냥 뭐… 그만큼 네가 살았으면 했어. 이 말이 비겁한 변명처럼 느껴질 수도 있지만, 한치의 거짓 없는 순수한 진심임을 꼭 알아줬으면 좋겠어.

혜연아. 나는 너에게 정말 많이 의존했어. 너는 느낄 수 없었을지도 모르지만, 네가 내 곁에 있음으로써 내 삶이 달라진 게 아주 많아. 너는 아무것도 안 했다고 느낄 수 있지만 나에겐 아주 많이 힘이 되어줬어. 함께 의존하고 아픔을 나누며 행복 또한 공유할 수 있다는 것. 그게 너무 좋았어. 이것 또한 모두 진심이야. 그리고 오늘 너랑 마지막으로 얘

기했을 때 갑자기 나 미워하냐고 물어봐서 놀랐지? 괜히 생각이 많아지게 한 건 아닐까 싶네. 나 안 미워한다고 해줘서 고마워. 사실은 네가 날 미워하고 있을까 봐 걱정했거든. 이유는 모르겠는데 괜히 그런 두려움이 많았어. 그런데 이 편지를 읽을 즈음엔 네가 날 죽도록 미워할 것 같아서 조금 걱정이네….

혜연아, 뜬금없지만 늘 하던 생각이 있어. 나 너를 많이 사랑하고 아꼈던 것 같아. 그래 맞아. 사랑이야. 사랑엔 아주 다양한 형태가 존재하잖아. 애증이거나, 우정이거나. 그 중에서 고를 수도 있긴 하지만, 이건 그냥 고를 필요 없이 사랑 그 자체인 것 같아. 원래는 잘 몰랐었는데 이제 확신이 생겼어. 그만큼 난 너를 많이 아껴. 많이 좋아하기도 하고, 많이 미워했기도 했어. 이 모든 게 결국 사랑이 되었어.

진짜 이상해. 항상 오늘 죽어야겠다. 오늘 죽어야겠다 생각했는데 이상하게 그게 안 되더라. 다음날 너랑 아이스크림을 먹고 싶었고, 교복을 하루 더 입고 싶었고. 뭐 그런 이유 때문에. 그런데… 오늘은 하늘이 너무 예뻤어. 그동안 봐왔던 노을들 중에서 가장 예뻤어. 그래서 문득 오늘 죽어야겠구나 생각이 들었어. 오늘을 놓쳐버린다면 나는 또 아름다운 하늘을 기다리느라 자유롭지 못하게 될 것 같아서…. 참 이상하지. 아름다운 날에 죽으려고 한다는 게. 분홍빛이고, 주황빛이고, 푸른빛인 게 사랑스러워서 죽으려고 하는 게.

혜연아, 나 너한테 다음 생에 바람으로 태어날 거라 말했던 거 기억나? 나 그 바람이 되어서 널 지켜줄게. 봄에는 꽃잎 흩날려주고, 여름엔 아주 시원하게 만들어줄게. 가을

에는 예쁜 낙엽을 손 위에 올려주고, 겨울에는 다른 바람이 널 괴롭힐 수 없게 지켜줄게. 내가 널 꼭 지켜줄게. 네가 가장 무너지고 주저앉아 울고 싶을 때에 살랑 불어서 너를 위로해 줄게. 머리를 망칠 정도는 아니고, 그냥 살짝 흩날릴 정도로만 아주 살랑 다가갈게. 그렇게 곁에 머무를 거야. 그럴 때마다 주희가 지켜주고 있구나- 하고 생각해 줘. 내 마지막 소원이야. 우리가 알고 지낸 시간들을 생각하며 꼭 행복해 줘. 내 몫까지. 너는 사랑받아 마땅한 사람이야. 알겠지? 미안해. 너무 사랑해. 혜연아 안녕. 잘 지내.

주희가.

*

저녁 9시, 할머니와 대화를 나누던 혜연은 주희 어머니의 전화를 받고 곧장 뛰쳐나갔다. 뭐라 그랬더라, 주희가 죽었다고 그랬었나. 뛰어내렸다고 그랬었나. 잘 기억이 나지 않는다. 혜연은 제대로 생각을 제대로 갈무리하지도 않고 신발의 짝도 제대로 맞춰 신지 못한 채 우선 뛰었다. 어디로 가야 할지 몰라 잠깐 멈칫했지만, 혜연은 본능적으로 항상 지나오던 길을 뒤돌아 뛰어갔다. 그렇게 혜연은 주희의 집으로 향하고 있었다.

2시간 전까지만 해도 함께 손을 잡고 대화를 나누던 곳으로. 노을이 아름답게 지고, 주희의 콧잔등 아래로 생긴 그림자가 신비롭게 보였던 그곳으로 뛰고 또 뛰었다. 일교차가 큰 탓에 조금 서늘한 기운이 서려 닭살이 돋는 게 느껴져졌다. 그래도 혜연은 달렸다. 혜연은 그때까지는 눈물이 나지 않았다. 주희의 집에 다다른다면 왠지 주희가 대문을 끼익- 열고선 저녁 늦게 왜 찾아온 거냐며 구박할 것 같았기 때문이다. 어제도 아니고 오늘, 그것도 고작 몇 시간 전까지만 해도 주희는 살아있었다. 분명히 함께 숨을 쉬고 함께 감정을 나누고 눈빛을 나눴으니까. 그런 주희가 죽었을 리가 없었다.

걸어서 5분이면 가는 거리였기에 곧장 도착한 혜연은 대문이 보이는 좁은 골목 끝에서 숨을 거칠게 몰아쉬었다. 심장의 박동이 너무 과하게 느껴져서 금방이라도 토할 것만 같았다. 너무 숨을 몰아쉰 탓에 턱 밑이 뜨거워지는 느낌을 뼈저리게 느끼고 있었다.

-하아, 하아……. 후….

충분히 숨을 몰아쉰 혜연은 그제야 제 발을 쳐다보았다.

왼쪽엔 항상 신고 다니던 짙은 초록색 컨버스. 오른쪽엔 할머니가 슈퍼에 가실 때 신는 시장에서 산 삼선 슬리퍼였다. 정말이지 우스운 꼴이었다. 안간힘을 다 해 달려서 힘이 풀린 탓에 느린 속도로 대문을 향해 걸어가던 혜연은 그 모습을 보고 자기도 모르게 피식 웃었다.

큰일 났네. 주희가 보면 뭐라고 말할까. 바보 같다고 비웃을지도 몰라. 이게 무슨 모양새냐며 꺄르륵거리곤 허리를 잔뜩 굽히면서. 뭐라고 변명하지? 일부러 장난치려고 그랬다고 할까? 아, 아니다. 이번엔 전부 솔직하게 말하자. 그만큼 네가 소중했다고. 너무 걱정이 됐고, 그래서 보고 싶은 마음에 뛰어왔다고. 대문까지 다다르기 고작 열 걸음, 혜연은 주희의 웃는 모습을 생각하며 똑같이 미소 지었다. 그러면서 솔직하게 전부 말하겠노라 다짐하며 걷고 또 걸었다.

*

혜연이 집 앞에 다다랐다. 왠지 집 안이 소란스러운 것 같기도 했다. 그 소란 사이에 주희의 목소리가 섞여있는지 귀를 쫑긋 세우며 걸어간 혜연이었다. 대문은 활짝 열려있었다. 놀래줄 심산으로 미소를 지으며 대문 앞으로 다가갔고 그녀가 곧장 마주한 광경은 울고 있는 주희의 엄마, 그리고 경찰들이었다. 차마 최악을 상상하지 못한 채 왔기 때문일까, 그 낯설고 이질감 드는 장면을 보는 순간 혜연은 가슴이 쿵 내려앉았다. 동시에 꽉 막힌 듯한 답답함을 느꼈다. 너무 답답하고 무거워서 숨을 쉴 수가 없는데, 당장에 이걸 해소할 방법이 전혀 없었다. 전속력으로 주희의 집으로 뛰어왔을 때보다 숨이 더 거칠어졌다. 손이 미친 듯이 떨려왔다. 혜연은 어떻게든 확인을 해야 했다. 그녀는 자기도 모르게 주희의 집 안으로 들어섰다. 컨버스와 삼선 슬리퍼가 각각 다른 질질 끌리는 소리를 내며 주희의 집 안으로 빨려 들어갔다.

지익- 지익- 끄는 소리가 들리자 주희네 집 콘크리트 마당에 서있던 어른들이 소리가 들리는 쪽으로 고개를 돌렸다. 동시에 혜연은 주희의 어머니와 눈이 마주쳤고, 그 순간 눈물이 범람했다. 순식간에 차올랐다가 손쓸 틈도 없이 무너져버렸다. 그대로 눈물에 잠기고 말았다. 혜연은 무어라 말하고 싶었지만 가슴속을 뜨겁게 가득 메운 슬픔이 그녀의 입을 틀어막았다.

진짜야? 주희가 죽었다고? 주희가 왜 죽어. 주희는 죽으면 안 되는데… 주희가 죽을 리가 없잖아. 혜연은 부정하고 또 부정했다. 그래봤자 바뀌는 사실은 없다는 것을 알고 있었다. 그래도 부정했다. 혹시 몰라. 주희 아빠가 또 때려서 경찰이 온 거일 수도 있잖아. 죽어서 그런 게 아닐 수도 있잖아. 눈물 때문에 앞이 보이지 않아 그만 주저앉아 버렸다. 살아있을지도 몰라. 거짓말 일지도 몰라. 혜연은 다시 일어나려고 무릎을 들었다. 그와 동시에 누군가 혜연을 와락 안았다. 주희의 어머니였다. 혜연만큼이나 슬퍼 보이는 그녀도 어찌할 줄 몰라 눈물범벅이었다.

-혜연아, 어쩌니. 혜연아. 우리 주희. 주희 어쩜 좋아.

주희의 어머니가 혜연을 아주 꽉 안았다. 혜연의 아빠가 돌아가셨을 때의 혜연의 어머니처럼. 사랑하는 사람을 잃은 눈빛을 하고, 슬픔에 가득 잠긴 채로. 그렇게 사랑하는 이의 이름을 외며 울부짖었다. 이제는 유일하게 이름만이 실존하기에, 그 부여받은 이름만이 유일하기에 그녀가 할 수 있는 것은 이름을 하염없이 부르고, 우는 것 밖에 없었다. 혜연은 물어야만 했다. 정말 주희가 죽은 거냐고. 죽은 게 맞냐고 물어야 했다. 그러나 그러지 못했다. 그녀는 이미 알고 있었다. 뼈저리게 알고 있었다.

주희는 죽었다.

회피할 수 없는 현실이 사방에서 그녀를 향해 파도쳤다. 떠오를 수 없어 가라앉고 또 가라앉았다. 숨이 막혀왔다. 더 이상 주희는 없다는 사실이 무서웠다. 그 무거움이 휘몰아쳐 왔다. 순식간에 주희가 없는 미래를 상상했다. 주희와 눈을 마주칠 수도 없고, 얘기를 할 수 없고, 주희의 온기를 느낄 수 없고, 주희의 목소리를 들을 수가 없다. 그렇기에 숨을 쉴 수 없었다.

-주희 어디 있어요? 주희… 주희 어디 있어요?

-안된다, 보면 안 된다….

-안되는 게 무슨 말인데요…. 주희, 주희가…. 주희가…….

주희의 행방을 물었건만, 주희가 어디 있는지는 알려주지 않고 보면 안 된다는 말만 하고 있다. 주희 엄마의 대답이 어떤 의미를 내포하고 있는지 알아차리는 것은 어렵지 않았다. 보면 안 된다니, 주희를 보지 말라니. 분명 주희는 존재하는데, 어디에서도 주희를 볼 수 없다. 분명 살아있고 내일이면 함께 학교로 향할 텐데, 사실은 그럴 수 없다.

혜연은 본능적으로 '내일'을 잃었다는 확신이 들었다. 그녀에게 영영 내일이란 오지 않을 것이라는 확신이. 혜연과 주희의 어머니는 차디찬 콘크리트 마당 위에서 울고 또 울었다. 서로를 부여잡고 울었다. 주희의 어머니는 현실을 처절히 느끼며 울었고, 혜연은 현실을 부정하며 울었다. 그때 혜연의 눈빛은 공허했다. 무언가를 잃어버린 것처럼. 사랑하는 이를 잃었거나, 내일을 잃었거나, 혹은 자신을 잃었거나.

*

주저앉아 서로를 끌어안고 한참을 울다 경찰들의 부축을 받고 마루 위에 쓰러지듯 앉아있었다. 기승전결의 이야기 속에서 '결'만이 그녀에게 쏟아져 혜연은 '기, 승, 전'의 이야기를 찾아내야만 했다. 그렇기에 멍하고 그렇기에 눈물만이 흘렀다. 감당할 수 없는 것들이 너무 많았다. 대체 왜? 주희가 왜? 주희가 왜…? 주희의 어머니는 경찰들에게 조사를 받아야 했다. 자살임이 확실하지만 필수 절차라고 한다. 다리에 힘이 계속 풀리는지 경찰의 부축을 받으며 조사를 받으러 걸어갔다. 빨리 주희 찾으러 가야 하는데. 아직 주변에 있을 텐데. 이러고 있는 시간 동안 주희의 아빠가 주희에게 해코지를 하면 어쩌지? 불안감에 잠식되어 미칠 것만 같았다. 그때 갈색 안경을 쓴 한 경찰이 다가와 혜연의 왼쪽 어깨에 손을 올리며 말했다.

–학생 이름이 혜연, 맞죠?

혜연은 흠칫 놀라 바라보다가 이윽고 대답할 힘도 없어 고개를 끄덕였다. 그러자 경찰이 품 속에서 무언가를 꺼내 건넸다. 보라색 편지 봉투였다. 혜연은 빤히 바라보다가 경찰이 보여준 봉투에 [혜연이에게]라는 글씨가 적혀있는 것을 보고 곧장 집어 들었다. 주희의 글씨였다.

–주희 학생 방 탁자에서 발견됐어요. 유서일 확률이 높아 저희 측에서 먼저 확인해 본 점 미안해요. 확인 절차가 필요해서요. 이제 주인한테 돌려줄게요.

혜연은 그 말을 듣고 봉투를 다시 살펴보았다. 봉투 입구를 풀로 붙여두었던 것인지 묘하게 끈적거렸다. 경찰이 뜯어본지 좀 되었던 걸까, 풀을 발라둔 흔적에 작은 먼지가 붙어있었다. 나를 위한 편지. 오로지 나에게 쓰는 편지. 그리고 그것을 가장 먼저 본 타인. 혜연은 괜히 그 먼지 붙은 풀 자국을 만지작거렸다. 왠지 모를 절망감이 몰려왔다. 나를 위한 편지를 먼저 읽은 타인. 우리에 대해 아무것도 모르는 타인. 우리의 이야기를 훔쳐본 타인. 하지만 그 절망감은 잠시 뒤로 물러둘 차례였다. 경찰이 혜연에게서 멀어지자, 이미 개봉되어 있는 봉투에서 편지를 꺼내들었다. 연보라색의 봉투와는 달리 편지지는 희고 말끔했다. 혜연은 그 자리에서 곧장 주희의 편지를 보았다. 그러곤 얼마 채 지나지 않아 아까완 달리 소리 내어 울었다. 눈물을 멈출 수가 없었다. 주희의 어머니처럼, 혜연의 어머니처럼 울었다.

-아악-!! 아아… 아!!! 씨발!!! 씨발!!!

밀려오는 좌절감에 머리채를 부여잡고 콘크리트 마당 위로 쓰러졌다. 그럼에도 불구하고 저를 옥죄여오는 답답함은 가시지 않고 배가 되는 것만 같았다. 제 머리채를 잡다가, 가슴께를 주먹으로 퍽퍽 치며 울었다. 이 감정을 무어라 설명할 수 없었다. 씨발, 씨발, 씨발. 어찌나 편지를 세게 쥐었는지 접힌 자국만 있던 것이 점점 구겨져갔다. 혜연은 편지가 구겨지는 것도 신경 쓰지 못한 채 허리를 숙여 울었다. 콘크리트 바닥을 주먹으로 마구 쳐봐도 바뀌는 건 없었다.

혜연은 뼈저리게 느꼈다. 자기 자신을 잃어버렸다는 것을. 어딘가 불완전하게 세상에 머물러있던 혜연은 비로소 무너져버린 것을 확신했다. 평생 나는 오늘에 갇혀 살아가겠지. 절대적인 사랑을 느끼고, 결국 그런 사랑을 잃어버린 오늘만을 계속해서 살아가겠지. 내 살점이 떨어져 나가고 뼈가

드러난대도 이런 아픔은 아닐 텐데. 나는 오늘 나를 잃었다. 주희가 죽었는데 지금 제가 숨을 쉬며 살아있다는 사실이 믿기지가 않았다. 혜연은 무너지다 못해 땅속으로 파고 또 파고들었다. 어딘가로부터 회피하고 싶을 때 느낀 감정을 온 살갗으로 실감하고 있었다. 혜연은 너무 답답해서 가슴을 때리고 소리쳤다. 그러나 불쾌하고 역겨운 감각은 여전히 생생했다.

나를 사랑한다고 말했던 주희가 결국 나를 저버렸다. 그렇기에 나 또한 나를 버릴 것이다. 사랑이 존재하지 않는 한 모든 것은 공허에 불과했다. 사랑이 없다면 그 무엇도 없었다. 주희라는 사랑으로 살아가던 혜연이었지만, 혜연이라는 사랑으로 살아가던 주희는 그 사랑을 끝끝내 저버렸다. 그 사랑이 주희를 구하지 못했다.

주희는 죽었다. 그러자 혜연 또한 죽었다.

하늘을 바라보았다.

바람 한 점 불지 않는 화창한 날이었다.

[13. 돌아가다]

나는 해가 다 저물 때까지 바람을 맞다 창문을 닫고 어두컴컴한 거실의 불을 켰다. 아주 주황빛도 아니고 아주 흰빛도 아닌 노르스름한 조명이었다. 그 덕에 거실을 가득 채운 원목 가구들이 더 돋보였다. 언제 봐도 완벽히 적응이 되지 않는 거실에 서있노라면, 종종 압도되는 느낌을 받기도 했다. 방금 내가 미니어처같이 작게 보이는 서울의 전경을 바라보고 온 탓일까, 바로 앞의 짙은 가구들이 금방이라도 쓰러져 나를 덮칠 것만 같았다. 좁디좁은 거실을 멍하니 바라보다 작게 마른 세수를 한 뒤 그대로 침실에 들어섰다. 그러곤 잠자리 옆에 놓여있는 무거운 황색 옷장 문을 열었다. 삐걱- 하고 꽤나 날카로운 소리를 내며 열린 옷장 속은 정리가 제대로 되지 않아 지저분한 모양을 하고 있었다. 불도 켜지 않은 침실에서 그 모습을 멍하지 바라보고 있자니 살짝 음산한 기운이 돌기도 했다. 그러나 개의치 않고 아무렇게나 쌓인 옷더미를 치워 그 아래에 자리 잡은 연보라색 상자를 꺼내들었다. 꽤 깊게 묻어두어 옷가지를 많이 걷어내야 했다. 그대로 상자를 들어 거실로 향한 뒤 선풍기 앞에 내려두었다. 곧장 꺼두었던 선풍기를 켠 뒤, 서늘한 바람을 맞으며 상자를 열었다. 조금 큰 사이즈의 상자 속 들어있는 것은 주희가 마지막으로 내게 준 편지. 아주 구깃구깃한 편지였다. 큰 상자 속에 고작 작은 한 개의 편지가 들어있으니 그 모양새가 우스워 보였다. 하지만 상자를 바꿀 수는 없었다. 주희의 편지봉투 색과 최대한 비슷한 상자는 이 상자뿐이었으니까. 나는 그 편지지를 집어 들었다.

한참을 주희 집에서 울다 집으로 돌아와 피고 또 폈던 편지였다. 그러나 이미 구겨질 대로 구겨진 편지에 남은 자국은 절대 없어지지 않았다. 그 탓에 나는 한 번 더 울었다. 구겨진 자국을 영영 펼 수 없을 것임을 알면서도 편지를 빳빳하게 펴고 또 펴곤 했다.

나는 여전히 주희가 죽은 날에 살고 있다. 여름의 모습을 한 가을 속에서. 노을이 참 아름다웠던 하늘 아래에서. 나만을 위한 편지를 타인이 가장 먼저 보았다는 허무함 속에서. 또 주희를 잃음으로써 느낀 상실감과 함께. 그러나 나는 한 번도 주희가 밉지 않았다. 미워할 수 없었다. 주희를 향한 감정은 오롯이 사랑일 뿐, 증오가 아니었기 때문이다. 그 증오는 나를 향한 것이었기에. 모든 증오는 결국 나 스스로를 위한 것이었기에. 행복하라고, 지켜주겠노라고 얘기하는 주희를 저버릴 수 없었기에 살았고, 또 살았다. 그 시간 속에서 할머니도 돌아가시고 나는 비로소 완전한 혼자가 되었다.

돌아갔다. 할머니도, 엄마도, 아빠도. 그리고 마지막으로 주희도 돌아갔다. '돌아갔다'라는 말의 정의가 뭘까. 대체 이들은 어디로 돌아간 것일까. 주희는 바람이 되었는데, 그럼 본래 주희는 바람이었던 것일까? 원래 바람의 삶을 살았기에 땅에 속박된 이 삶을 버티지 못하고 홀연히 떠난 것일지도 모르겠다. 그럼…, 나는 뭘까. 나는 죽는다면 어디로 돌아가는 것일까. 나는 주희와도 같은 바람이었던가, 아니면 물고기였을까, 혹은 어디로도 돌아갈 곳이 없는 첫 번째의 삶을 살고 있는 것인가. 확실한 건, 지금 당장의 나는 돌아갈 곳이 없다. 완전한 혼자가 되었다. 정말이지 원치 않았던 혼자가.

할머니의 장례를 마친 후, 나는 죽고 싶다-라는 생각이 아니라, 도대체 왜 살아있는 거지? 하는 의문이 깊어져만 갔다. 또 한없이 우울해질 때면 난 강박증 환자처럼 언제나 바람을 쐬었다. 그렇게 항상 주희를 찾았다. 여전히 괴롭고 답답하지만 바람을 맞고 있다는 사실이 나를 억지로 살게 했다. 우습게도 그것을 위안 삼아 살아갔다. 그러나 그와 동시에 마음속 깊은 곳에서는 어떻게든 무시하고픈 생각이 피어오르고 또 피어올랐다.

주희야, 너는 내가 가장 무너지고 주저앉아 울고 싶을 때 불어오기로 했잖아. 삶이 지옥 같을 때 위로해 주기로 했잖아. 그런데… 왜 네가 죽은 날엔 불지 않았어? 난 여전히 그날에 살고 있고, 그날의 기억만이 가득한데 왜 너는 그날 불어서 나를 위로해 주지 않았어? 하필. 정말 왜 하필.

매일매일이 지옥 같은데, 그중에서도 가장 지옥이었던 그날에 주희는 나에게 오지 않았다. 분명 잘 알고 있었을 거면서. 내가 주저앉아 하염없이 울고 또 울 것임을 말이다. 왜 하필 그날에 너는 불어오지 않았을까. 다른 날도 아니고 그날. 왜 그리도 화창한 날이었을까. 왜 그리도 잔잔한 날이었을까. 어쩌면 나를 두고 그토록 노래하던 자유를 찾으러 떠난 것이 아닐까? 나를 두고. 살아남은 나를 두고 죽어버린 너는 정녕 자유의 바람이 된 것일까. 넌 정말 떠나버렸는데 내가 너를 억지로 붙잡고 있는 것일까. 좌절감이 일었다. 주희야, 나 정말 네 말대로 병신이 되어가고 있나 봐. 아무래도 나 병신인가 봐. 구깃구깃한 편지를 내려두고 흩날리는 한지에 얼굴을 가져다 대었다. 살랑살랑 간지럽히기에 바빴던 한지들이 조금씩 사라지는 게 느껴졌다. 눈에서 흐르는 눈물이 얇고 힘없는 한지를 집어삼키고 있었다. 연약한 한지는 그렇게 찢어지고 떨어져 나에게 닿기를 거부하고 있었다.

너는 지금 어디 있어? 주희야, 주희야, 주희야. 너는 지금 대체 어디 있어? 주희야. 나는 정말, 정말로 네 말대로 병신이 되어가고 있나 봐. 아무래도 나 제정신이 아닌가 봐. 주희야. 이런 나한테 실망했어? 넌 내가 이겨낼 수 있을 것 같다고 했는데, 그리고 나 스스로도 그렇게 믿었었는데. 실은 그게 아니었나 봐. 나 혼자선 안되는 거였나 봐. 네가 없는 나는 이 정도 인간일 수밖에 없는 건가 봐.

언제나 현실에서 벗어날 때면 가장 행복했던 우리였는데, 사실 우리는 한 번도 현실에서 벗어난 적이 없었다. 되레 피하려 하면 할수록 그 현실은 우리를 집어삼켜 조롱하듯 가지고 놀았다. 초등학생 무렵의 나는 히어로처럼 행복한 앞날만 펼쳐지겠노라 생각하던 천진난만한 아이였건만, 그딴 희망은 어디에도 존재하지 않았다. 사랑이 나를 배신했다. 사랑이 나를 저버렸다. 나를 살게 하던 그 사랑이 나를 비참하게 내버려두고 있다.

나는 더 이상 '나'가 아니었다. 나는 '나'를 주희에게 주고 있었다. 어쩌면 처음 만났을 그때부터 말이다. 나는 나를 사랑할 수 없어서 주희에게 나를 주고, 주희를 사랑했다. 또 나를 미워할 수 없어서 주희에게 나를 주고, 주희를 미워했다. 그리고 주희가 죽어버리자, 주희는 내가 주었던 사랑만을 가져갔다. 미움은 고스란히 돌아와 나의 몫이 되었다. 그 미움의 무게가 너무나도 무거워서 가라앉을 것만 같았다. 내가 나를 미워해버리면 나조차 나를 놓칠까 봐 두려웠지만, 애석하게도 이제 모든 미움은 내 몫이 되었다. 너무도 버거웠다. 견딜 수가 없었다.

주희야, 나는 너를 여전히 사랑해. 내가 맞는 바람이 그 증거일 거야. 네 말대로 사랑엔 형태가 다양하지만, 이건 그냥 사랑 그 자체야. 그런데 난 사랑을 정말 모르겠어. 이건 사랑인데, 왜 이렇게 아프고 괴롭고 미치는 걸까. 아빠가 돌아가신 날 엄마가 찢어지게 운 것처럼 사랑은 원래 사람을 망쳐버리는 걸까. 그럼 사랑은 더 이상 사랑이 아니게 되잖아. 그럼 사랑은 괴로움이고 아픔이잖아. 그런데 우리는 왜 사랑을 하고 있는 걸까. 나는, 또 모두는 왜 사랑을 갈망할까. 왜 사랑을 하다가 절망을 하게 되는 걸까. 원래 사랑과 절망은 한 끗 차이인 거야? 그래도 되는 거야? 본래 사랑은 절망을 동반하며 찾아오는 거야? 난 모르겠어. 주희야 나는 정말로 네가 없으면 아무것도 모르겠어.

내가 널 사랑하는 만큼 네가 날 사랑했다면 어떻게 됐을까. 더 나아가 세상 모든 사람들이 그런 사랑을 한다면 어떻게 될까. 왠지 한날한시에 다 같이 죽어버릴 것 같아. 그야 네가 없다면 나도 살아갈 수 없으니까. 그렇게 모두가 함께 죽어버릴 것 같아. 아마 그날은 네가 죽었던 날이 되었겠지.

*

주희는 내가 유영하는 법을 알고 있으리라 확신했건만, 나는 그저 주희에게 의지해 떠다니고 있을 뿐이었다. 익숙한 답답함이 역류했다. 바람을 맞으며 머리를 쥐어뜯었다. 속 깊은 곳에 억지로 묻어둔 답답함이 보란 듯이 내 머릿속을 활개 했다. 무언가 망각하고 있는 것 같았다. 가장 중요한 본질적인 문제를 까마득하게 잊어버린 기분이었다. 내가 뭘 잃은 걸까. 너를 잃은 날에 나는 또 무엇을 잔뜩 잃고야 만 것일까.

아니, 내가 '잃었다'라는 말을 해도 될까. 언제부터 넌 내 사람이었던 것인가. 내가 널 잃은 게 맞는 건가. 잃은 게 아니고, 아주 자유로운 네가 내 곁에 잠시 머물다가 떠나버린 것이라면. 난 그저 자리만 잠깐 내주었을 뿐이고, 자유로운 너는 너답게 홀로 떠나버린 것이라면. 그렇다면 널 잃었다고 말할 자격이 나에게는 없는 것 아닌가.

어느덧 내 살갗에 닿는 한지들은 한 개도 없었다. 매번 묻어두었지만, 매번 회피했지만 이젠 그런 나를 비웃기라도 하는 듯이 온몸 곳곳을 파고드는 우울과 또다시 직면했다. 모든 것이 의미가 없었다. 몇 년째 이어져 오는 딜레마에 나는 속수무책으로 당해버렸다. 너는 지금 어디 있는가. 너는 왜 그날 불어오지 않았는가. 너는… 바람이 되어 내 곁에 있는 게 맞는가? 여전히 답은 찾을 수 없었다. 언제나처럼. 당연하게.

나는 살고 있다. 살아가고 있긴 하다. 그러나 어떻게? 나는 도대체 왜? 나는 내가 아닌데, 나는 왜 사는 거야? 이게 사는 건 맞는 거야? 네가 없는데 내가 어떻게 살아?

살아갈 이유를 찾을 수가 없다.
모든 것이 허무하게 느껴진다.
울고 또 울었다.
바람은 불어왔다.
불고 또 불고 또 불었다.
바람, 바람, 바람.

낡은 선풍기는 하염없이 돌아갔다.

[14. 답장]

주희에게.

안녕, 주희야. 나 혜연이야. 나는 네가 떠난 후부터 그 시간에 갇혀 살아가고 있어. 네가 그랬지. 우리가 알고 지낸 시간을 생각하며 행복해달라고. 주희야, 난 어느덧 우리가 알고 지낸 시간의 2배를 넘게 살아가고 있어. 그럼에도 바뀐 것은 없고 기어코 나의 밑천이 다 드러난 것만 같아. 네가 밉다. 오늘만 미워할게. 네가 그랬잖아. 사랑이라고. 순수하게 미워하고, 순수하게 좋아하는 게 사랑이라고. 널 사랑하니까 오늘은 무진장 미워할래. 그러니까 너무 나무라지 마.

네가 떠난 15살의 나는 몰랐어. 나 스스로를 미워하는 것도 네가 있어야지만 가능하다는 사실을. 함께 해야지만 이겨낼 수 있다는 것을. 이런 내가 한심하니? 아니면 내가 안쓰럽니?

주희야. 너는 나를 몰랐어. 나는 유영하는 법을 몰라. 널 의지하며 억지로 뜨는 법밖에 모른단 말이야. 왜 그걸 몰랐어? 네가 날 살게 하면서 왜 그건 몰랐어? 아니면 알면서 그냥 떠난 거야? 조금만 기다려주지. 함께 한다면 더 나았을 텐데. 조금만 더 기다려주지. 내가 파도를 두려워하지 않을 만큼만…. 네가 생각한 나의 결말은 어떤 모양일까. 그것까지 편지에 적어주었다면 뭐라도 달라졌을까? 그냥 살아가라고만 하면 어떡해. 살아가고 있긴 한데… 살고 있긴 한데… 나는 그날에서 벗어날 수가 없단 말이야. 네가 불어와서 억지로 살고 있긴 한데, 그것마저도 나한텐 고문

이란 말이야. 불어오는 바람도 네가 아닌 것 같고, 좆같은 현실이 내 머리채를 잡고 너에게서 끌어내리고 있어.

나 말이야, 자꾸 바람 한 점 불지 않았던 그날이 생각나. 여전히 그날에 갇혀있어. 억지로 날려보려고 해도 결국 넌 나는 영영 떠나고야 말았다는 생각이 멈추질 않아. 그야 그날 넌 없었잖아…. 정말 내가 가장 죽고 싶었던 그 날에. 너무도 평화롭고 고요했잖아. 세상 모든 바람이 자유를 위해 저 먼바다로 떠나버린 것 마냥.

너무 고통스럽고, 나는 이미 가라앉아 자그마한 빛줄기조차 볼 수가 없어. 주희야, 우리의 이야기는 결국 비극으로 끝나버리는 걸까? 아님 어쩌면 처음부터 비극일 수밖에 없었던 것일까? 우리는 분명 서로를 사랑했는데. 어쩌면 사랑이라는 단어로도 감히 담아낼 수 없는 감정을 느꼈었는데. 맞아, 마치 내가 둘로 나뉜 것만 같은 감정 말이야. 그런데 그런 사랑의 기적 따위는 책에서나 볼 수 있는 이야기인가 봐. 그때 우린 너무 어리고 약했어. 현실에서 도망칠 때면 너무나도 행복했는데, 결국 우리는 현실 속에서 살아가던 초한 15살의 여자아이들일 뿐이었어. 내가 이겨낸다는 이야기 따위는 처음부터 없던 거야. 시간이 약이라고 하는데, 나는 8년 전 그 시간에 멈춰있어. 나의 시간은 흐르지 않아. 그래서 나는 영영 낫지 못해. 나는 너를 잃었기에 나를 잃었어. 맞아, 네 말이 맞아. 나는 병신이야. 나를 잃어버린 병신.

정말이지… 내가 그토록 알고 싶었던 사랑은 대체 무엇일까. 나에게 사랑은 주희 너 그 자체였는데, 너는 나를 저버리고 떠났으니 나는 사랑에게도 버림받은 걸까. 모르겠다.

이젠 아무 생각도 하고 싶지 않아. 나 말이야, 너를 그리워하면서 너를 닮아가고자 했어. 너처럼 바람을 맞으면서, 이젠 바람이 되어버린 너를 느끼려고. 하지만 이젠 전혀 모르겠어. 나에게 불어왔던 바람이 정말로 네가 맞아? 너는 지금 어디 있어? 주희야, 너는 대체 어디로 돌아간 거야?

너는 미워하지 말라는 말이 얼마나 이기적인 말인지 모를 거야. 나는 아주 잘 알아. 그러니까 한 번만 할게. 나 너무 미워하지 마. 결국 난 이럴 수밖에 없는 사람이었어. 난 이겨낼 수 없었어. 난 가라앉을 수밖에 없는 사람인가 봐. 내가 나를 버렸는데, 어떻게 내가 이겨낼 수 있겠어. 내가 나를 버렸는데…….

시간을 되돌리고 싶어. 내 소원은 그것뿐이야.

이제 다시 재정의할 수 있을 것 같아.

사랑은 비극이야.

혜연이가.

[15. Moonstruck love]

걷고 있다. 언젠가 가 본 적이 있었는지, 없었는지 긴가민가한 한적한 공원이었다. 그곳에서 무작정 걷고 있다. 주변에는 공원이라기엔 너무 무성한 풀들과 나무가 자리 잡고 있었다. 여기가 공원이 맞긴 한 걸까. 자연스레 공원이라고 알고 있었지만, 가만 주변을 잘 살펴보니 산속 산책로 같기도 하다. 하늘을 올려다보니 낮도 저녁도 아닌 흐린 아침이다. 그렇게 걷고 있다. 그것도 주희와 함께.

어쩌다 함께 걷게 되었더라, 눈을 떠 보니 이곳이었는데 아주 자연스럽게 내 옆에 주희가 있었다. 그 뒤는 기억이 흐릿하다. 아마 내 시야가 흐릿했기 때문일 것이다. 눈물이 내 앞을 뒤덮어서 주희를 꼭 껴안았다는 느낌만이 생생하게 기억이 난다. 그 후엔 주희가 내 등을 두드려주고, 보고 싶었다고 말해주기도 하며. 그 후엔, 지금까지 걷고 또 걷고 있다. 나에게 보여줄 것이 있다는 주희의 말을 듣곤 손을 꼭 잡은 채로.

-혜연아.

-응?

-혜~연아.

-왜?

-너는 지금 가라앉았어?

-음… 응.

-왜?

-네가 죽어버렸으니까.

-그럼 다시 떠오를 수는 없는 거야?

–왜 떠올라야 하는데?

–네가 가라앉아 버리면 내가 너한테 닿을 수가 없잖아….

–바보야, 말했잖아. 나는 너한테 의지해서 떠오를 수밖에 없다고. 근데 네가 없잖아.

–그건 네가 물고기가 아니라 그런 거잖아….

우리는 아주 평범하게, 그저 오랜만에 만나 안부를 묻는 사람들처럼 대화했다. 참으로 이상하게도 슬프거나 흥분한 감정의 동요는 없었다. 네가 죽어버려서 떠오를 수 없다는 말을 하면서도 전혀 눈물이 나지 않았다. 덤덤한 내 모습에 이질감은 조금 느껴졌지만, 무언가 잘못된 것 같다는 생각은 전혀 들지 않았다. 그렇지만 주희의 마지막 말에는 어떤 대답을 해야 할지 몰라 더 이상 얘기를 이어나가지는 않았다. 물고기가 아니라 그렇다니, 역시 주희는 바보구나. 나는 그저 초라한 한 명의 사람일 뿐인데.

주희를 만난다면 못다 한 얘기를 다 하겠노라 매일같이 다짐하고 또 무슨 말을 해야 할까 몇 번이고 생각했었다. 그러나 막상 만나니까 무엇을 해야 할지 전혀 감이 잡히지 않았다. 죽으니까 어때? 죽으니까 편해? 이런 말이라도 해야 하나. 그냥 이상했다. 손깍지를 끼고 천진난만하게 팔을 휘적거리며 어딘가로 향하는 지금이. 알 수 없는 곳으로 향하고 또 향하는 지금이. 그것도 주희와 함께 말이다.

–아, 맞다. 주희야.

–응?

–그때 얘기했던 거 기억나? 타이타닉 말이야. 잭이랑 로즈.

–아… 기억나.

–그때 잭이 죽어버렸는데 그래도 서로 사랑했으니까 배

드 엔딩은 아닐 거라고 그랬잖아, 내가.

-응, 그랬지.

-그런데 다시 생각해 보면 배드 엔딩이 맞는 것 같아.

-…갑자기 왜?

-바보야. 사랑하는 사람이 죽어버렸잖아. 그냥 그것 자체만으로도 배드 엔딩이었던 거야. 사랑하는 마음이 그대로일지언정, 결국 서로를 잃었으니까. 오로지 한 사람만이 세상에 남아 그 사람과 함께한 기억을 안고 가니까. 결국엔 다 끊어져 버린 거야.

짧은 적막이 흘렀다. 하지만 그것도 잠시, 고개를 숙이고 고민하던 주희가 다시 입을 열었다.

-그렇구나…. 음, 그래도 혜연아. 그들은 돌고 돌아 결국엔 다시 서로를 찾았을 거야.

-어떻게?

-사랑하니까. 네 말대로 사랑하는 마음은 여전하니까.

-……풉.

-그렇게 서로는…….

-푸하하-!

-…….

-하하하하….

-…….

-사랑하니까 결국 찾았을 거라고….

왜일까, 전혀 유쾌하지 않은 대화 내용임을 충분히 인지하고 있지만 웃음이 튀어나왔다. 결국 웃음을 멈출 수 없어 걷다 말고 하늘을 올려다보며 웃었다. 아, 구름으로 가득 찬 하늘…. 예쁘다. 그리고 주희는 침묵을 유지했다.

감히 확신하건대, 잭과 로즈는 서로를 잃었기에 행복할

수 없었을 것이다. 나는 영화를 보지도 않았으면서 지레짐작으로 그들의 감정을 재단했다. 왜냐하면 나도 그들과 다를 것이 없었으니까. 잭과 로즈가 어떤 사람인지, 어떤 모습인지는 몰라도, 사랑하는 사람을 잃은 고통은 누구보다 잘 아니까 말이다. 그렇게 생각하는 와중에도 이상하게 웃음이 나왔다. 이상하게. 정말 이상하게도.

이윽고 웃음을 멈추고 주희와 함께 걷기 시작했다. 여전히 손은 맞잡고 있었다. 이따금 한 사람이 걷기에도 비좁은 길이 나타나면, 주희는 먼저 나에게 길을 양보해 주며 걸었다. 지금 주희와 함께 걷고 있고, 주희와 함께 얘기하는 현실이 꿈만 같았다. 주희는 걸으면서 계속해서 히죽거리는 나를 말없이 쳐다보고 있었다. 길이 그 정도로 잘 다져지진 않았는데, 앞을 보고 걷지 않아도 무섭지 않은지 계속 나를 바라보았다. 무슨 생각이라도 하는 중인 걸까. 나는 그 눈길을 애써 무시하고 앞만 보고 걸었다. 그냥 왠지 내 생각을 읽히고 싶지 않았다. 몇 걸음 가다 내 키만큼 자란 풀을 한 번 뚫고 지나가니 무성한 나무들이 끝나는 시점이 시야에 들어왔다. 이윽고 정면에서 하늘이 보였다. 흐린 아침이라 그런지 푸르다기보단 왠지 회색빛이 돌았다. 마침내 공원의 끝에 다다른 것일까. 저 너머엔 무엇이 있을까. 그 광경을 보기 위해 조금 빠른 걸음으로 더 나아가자, 순식간에 바다가 펼쳐졌다. 분명 방금 전까지만 해도 무성한 숲속 같았는데 이젠 나의 시야에 걸리는 것은 하나도 없었다. 그저 끝없는 바다. 바다였다. 시원한 파도 소리가 귓가에 울렸다. 나도 모르게 더더욱이 바다로 향하는 발걸음이 빨라졌다. 그리고 바다가 더 크게 눈에 들어왔다. 해변은 없었지만, 바다는 무한했다. 정말 말 그대로 끝없이 펼쳐져 있었다.

놀란 나는 그제야 주희를 쳐다보았다. 어깨선에서 찰랑이는 그녀의 단정한 단발머리가 돋보였다. 주희는 오늘도 여전히 중학교 춘추복을 입고 있었다.

결국 나를 바다로 데리고 왔구나.
네가,
나를.

-예쁘지?
계속해서 나를 바라보던 주희가 이제야 웃으며 물어봤다. 나는 그 미소 지은 얼굴을 바라보다 다시금 바다로 눈을 돌렸다. 아주 넓은 바다였다. 적당하게 넘실거리는 파도가 절벽에 부딪히는 소리만이 가득 찬. 단언컨대 세상에서 가장 아름다울 것임이 분명한 바다였다. 하지만 하나 걸리는 게 있었다. 바로 흐린 날씨였다. 그 탓에 수평선이 전혀 보이지가 않았다. 굉장히 묘한 기분이었다. 나는 다른 곳도 아닌 그 묘한 광경만을 조용히 바라보다 말했다.
-응, 예쁘다. 예쁜데…. 날씨가 좀 더 맑았으면 좋겠어.
-왜?
-그야 흐리니까 수평선이 안 보이잖아. 뭔가 이질감이 들어서….
-그래서 좋은 건데.
-응?
-자세히 봐봐. 하늘이랑 바다를 가르는 선이 그어지지 않았잖아. 그러니까 바다랑 하늘이 하나처럼 보이지 않아? 잘 봐, 여기서 여기로- 이렇게.
주희가 내 손을 맞잡고 있지 않은 반대 손을 들어 올렸다. 그러곤 절벽에 부딪혀 찰싹이는 파도를 가리키며 시작해 하늘까지 손을 긋기 시작했다. 나는 그 손길이 올라가는 방향대로 고개를 움직이며 바다의 시작부터 하늘의 끝을 그려갔다.

-하나가 됐잖아.

주희의 말대로였다. 바다와 하늘이 하나가 되어있었다.

-진짜네….

-…….

-네 말대로 이렇게 보니까 하나처럼 보인다. 정말 하나로 이어져있네. 완전히 하나가 됐네.

-그치? 두개로 갈라져 있던 게 드디어 만나게 됐잖아.

-응….

-예쁘다.

-응, 예뻐….

수평선이 보이지 않았기에 바다의 끝이 없었고, 하늘의 끝이 없었다. 하늘까지 이어진 바닷속에서 곳곳이 보이는 흰 구름들이 헤엄치고 있었다. 난 멍하니 그 광경을 고개 들어 쳐다보는데, 주희는 하늘을 가리키던 손을 내리고 계속해서 나만을 바라보았다. 주희 네가 이걸 보여주려고 오늘 날 부른 거구나. 바다랑 하늘이 하나가 된 모습을 보여주려고. 바다가 하늘이고, 하늘이 바다가 된 오늘을. 만날 수 없던 그들이 기어코 재회하게 된 모습을 꼭 보여주려고.

-그런데…, 날씨는 흐린데 바람은 하나도 안 부네.

-바람이 왜 불어?

주희가 정말 궁금하다는 듯 의아해하며 물었다. 나는 눈을 감고 얘기했다.

-보통 흐리면 바람이 불잖아. 평소보다 더 세게. 그런데

오늘은 바람이 전혀 안 부는 게 신기해서.

-그야….

-응?

-난 이미 네 옆에 있잖아?

눈을 떠 주희를 바라보았다.

그리고 꿈에서 깨어났다.

[16. 흐림]

순식간에 어둠이 밀려왔다. 분명 아침이었는데, 눈을 떠 보니 바다는커녕 지겨운 천장이 자리 잡고 있었다. 그러니까, 꿈이었다. 한 여름의 끔찍하고도 사랑스러운 찰나의 꿈이었다. 주희의 목소리와 주희의 얼굴 그 모든 것이 무의식의 영상화였을 뿐이었다. 깨어나 보니 나는 울고 있었다. 울면서 잠에서 깨어났다. 꿈속에선 아주 침착하고 편안했지만, 그 평화로움을 감당하지 못한 현실 속의 나는 울 수밖에 없었다. 눈물을 닦다 급하게 휴대폰을 들어보았다. 시간은 새벽 4시 31분. 그러곤 나도 모르게 날씨를 확인했다. 왠지 그래야 할 것 같았다. 서둘러 날씨 앱을 들어갔다. 그리고 확인한 날씨는 흐림. 모든 시간에 흐림 표시가 되어있었다.

그때, 순간 잃었던 것을 모두 되찾은 기분이 들었다. 주희와… 그랬었지. 나를 미워할 용기. 그거였지. 영영 잃은 줄만 알았던 그 용기가 다시금 생겨났다. 주희가 죽었을 때 재가 되어버린 것이 다시 발화되었다.

단언컨대, 그 미움의 끝은 아마 자유와 같은 모습일 테다.

그러니까 오늘은 꼭 바다로 가야겠다.

그 순간, 혜연은 물고기가 되어야겠다 다짐했다.

[17. 주희]

보라색 상자에 들어있는 보라색 편지지. 그 위로 혜연은 투박하게 찢은 종이 위에 휘갈긴 편지를 고이 올려두었다. 아침 일찍의 버스 표를 예매한 뒤 살짝 닭살이 돋은 팔을 쓰다듬었다. 답지 않게 쌀쌀한 아침이었다. 마치 가을처럼 말이다. 그렇다면 오늘은 여름이란 이름을 띈 가을이구나. 혜연은 굽은 허리를 펴고 기지개를 켠 뒤 이불을 대충 옆으로 치워두었다. 그러곤 머리맡에 놓아두었던 보라색 상자를 들어 올린 뒤 옷장을 열어 깊숙한 곳으로 숨겨두었다. 아무도 볼 수 없도록. 두 번 다시 우리의 이야기를 타인에게 알려주고 싶지 않았기에. 그 순간만큼의 혜연은 울지 않았다. 상자 위로 옷가지를 덮어 보라색의 흔적을 없앨 때도 울지 않았다. 그러고 혜연은 조금은 단호하게 옷장 문을 닫았다. 끼익- 소리를 내다가 덜컹. 하며 조금은 투박한 소리를 내며 옷장이 닫혔다. 이제 두 번 다시 저 옷장 문을 열 일은 없을 것이다. 그리고 옷장이 닫힐 때에 손잡이에 걸어둔 파란색 원피스가 함께 흔들렸다. 혜연이 아까 걸어두었던 원피스였다. 5년 전, 할머니와 함께 시장을 지나가다가 발견한 구제 숍에서 산 6천 원짜리 원피스. 아끼는 것도 아니고 옷에 전혀 관심도 없었기에 아무렇게나 넣어두었던 옷이었다. 그러나 왠지 오늘만큼은 저 원피스가 가진 푸른색을 뺏고 싶었다. 저 푸른색을 입고서 물고기가 되어야 하지 않을까- 싶은 마음이 그녀를 움직이게 만들었다.

푸른색이라면 바다에 빠져도 아무도 모르겠지.

혜연은 그 원피스를 바라보다 이내 잠옷을 벗어 망설임

없이 갈아입었다. 짧은 소매에 허벅지를 덮는 기장의 원피스는 쌀쌀한 여름 아침이 주는 서늘함을 막아주진 못했다. 여전히 닭살이 돋아있는 드러난 팔을 문지르던 혜연은, 주름진 원피스를 손으로 탁탁 펴보았다. 그러나 주름이 사라질 리는 없었다. 그럼에도 혜연은 상관없었다. 오히려 주름진 모습이 보기 좋게 느껴졌다. 묶은 머리를 풀어 팔을 살짝 덮어둔 혜연은 괜히 한 바퀴 빙글 돌아보았다.

이제 그녀들의 꿈이 이루어질 시간이었다. 주희는 바람이 되었고, 혜연은 물고기가 될 것이다. 그게 다였다. 돌아가자. 내가 있어야 할 자리로. 그래, 돌아가야지. 나도 돌아갈 곳이 있으니까. 이제는 나도 원래의 나를 되찾아야지.

꿈속에서 주희와 나눴던 얘기가 문득 떠올랐다. 영화 속 그들은 결국 서로를 다시 찾았을 거라고…. 그들처럼 우리도 서로를 되찾으려면 내가 물고기가 되면 된다. 궁극적으로 물고기가 되어야 할 것만 같았다. 그런 확신이 들었다. 그래야만 우리는 서로를 찾을 수 있을 것이다. 그것도 꼭 오늘. 하늘이 바다고, 바다가 하늘인 오늘에. 오늘을 놓쳐버리면 안 될 것 같았다. 매일매일이 오늘만 흐릴 수 있다면 얼마나 좋을까. 매일 오늘처럼 바다와 하늘이 하나가 될 수 있다면 얼마나 좋을까. 칠월 칠석을 기다리는 견우와 직녀처럼 그리워하고만 있지 않고 기꺼이 내가 널 만나러 갈 수 있다면 말이다. 내가 물고기가 된다면, 아가미가 달린다면, 더 이상 지금처럼 무기력하고 초라하게 가라앉진 않을 것이다. 네 말대로 물고기가 된다면 말이다.

*

사실 혜연은 잘 알고 있다. 실제로 바다와 하늘은 이어질 수 없다는 것을. 이어진 수평선을 향해 나아간다 한들, 그곳으로 닿지는 못할 것임을. 하지만 그런들 어떠하냐. 주희가 욕심내어 바다로 뛰어들어 해류가 되면 그만이고, 혜연이 욕심내어 하늘로 뛰어올라 바람을 쐬면 된다. 그렇게 서로를 영영 잃지 않으면 된다. 이미 한 번 서로를 잃었지만, 다시 찾으면 된다. 찾을 수 있다. 이미 꿈속에서 주희를 한 번 찾았으니까 현실에서도 충분히 찾을 수 있다. 잃었다 한들 우리는 결국 하나니까. 지금은 반으로 나뉘었지만 아주 쉽게 서로를 알아볼 테니까.

주희야, 네 덕분에 드디어 답을 찾았어. 이제서야 알게 됐어. 나는 이제 가라앉지 않을 거야. 네가 정글짐에서 바라보았던 가라앉는 내 모습은 이제 어디에도 없어. 그야 나는 이제 물고기가 될 테니까. 이게 답이었어. 그치 주희야? 현실이 버겁고 이겨낼 수 없다면 회피하는 게 아닌 현실을 바꾸면 되는 거야. 이건 도망이 아니야. 변화일 뿐이야. 고마워, 내 꿈에 나와줘서. 여전히 나를 기다리고 있어줘서. 내 곁에 있어줘서. 우리는 이제 서로를 잃지 않을 거야. 두 번 다시 널 놓지 않을 거야.

푸른 원피스의 치맛자락을 꼭 쥐고 있는 혜연이 이내 기쁨의 눈물을 흘렸다. 분명 어제까지만 해도 극심한 우울감과 절망이 넘실거리고 있었다. 머리까지 잠겨버려 힘겹게 견뎌내고 있었다. 그 슬픔을 가득 담아 주희에게 편지도 썼다. 그러나 이젠 달랐다. 혜연은 내심 보라색 상자에 들어 있는 편지를 버려야 하나 고민했다. 얼마 가지 않아 그 생각은 없어졌다. 물고기는 과거를 떠올리지 않아. 마치 벌써 물고기가 된 것 마냥 혜연은 생각했다. 이미 인간이길 저버린 꼴이었다. 그럼에도 혜연은 행복했다.

고마워 주희야. 마지막으로 내게 남긴 편지에 살아남으라고 하지 않아서. 어떻게든 살아서 널 기억해달라고 하지 않아서. 그랬다면 나는 절대 죽지 않고 널 그리며 살았을 거야. 너도 알잖아, 내 성격. 난 영영 죽지 않고 썩지도 않으며 낡을 대로 낡아버린 선풍기에 기대며 살아갔겠지. 바람에 흔들리지도 않고 그대로 굳어버려 희미한 정신을 유지한 채. 너인지도 아닌지도 모를 출처 없는 바람을 맞으면서 떠나버린 너만을 위해 살아감을 강행했을 거야. 네가 죽은 가을에 갇혀 나를 잃은 채로 말이야. 봄이 오고 여름이 지나 겨울을 맞이해도 난 결국 가을 속에서 쓸쓸하게. 마르지 않는 짠 눈물을 계속해서 흘리며. 지독한 악취를 풍기며 역겹게도.

드디어 나를 미워할 용기를 얻었다. 이제 그 끝을 장식할 차례였다. 미움의 끝은 자유일 것이다. 그렇지. 그렇게 확신했었지. 그러니 이제 나를 마음껏 미워하자. 15살 그 어린 소녀가 깨달았던 감정을 다시금 상기시키며, 마음껏 미워하자. 주희가 죽고 나서 한 번도 완수하지 못했던 그 미움을 이제 실행하자. 이젠 정말 할 수 있을 것 같아.

왜냐하면 자유는 주희니까.
그리고 곧 내가 될 테니까.
결국 우리는 서로를 되찾을 테니까.

[18. 혜연]

푸른 원피스의 주름을 다시 또 괜히 탈탈 털어 편 후, 거실로 나와 마지막으로 집을 둘러보았다. 나를 집어삼킬 듯 압박해오던 원목 가구들은 오늘도 여전했다. 이 집에 있노라면 마치 흙무덤 속에 갇혀있는 것만 같았다. 이젠 이 집도 안녕이야. 나는 끝없는 바다로 갈 거거든. 그렇게 영원한 헤어짐을 예고하며 집을 천천히 둘러보았다. 그러다 한 수납장을 향해 걸어가 먼지 쌓인 장식품들의 정렬을 더 정교하게 맞추었다. 두 번 다시 안 올 거래도, 괜히 그러고 싶었다. 균형 잡히지 않은 복잡함의 향연 속에서 그 작은 장식품들만이 제자리를 지켰다. 그러는 와중에도 혜연의 입엔 미소가 걸려있었다. 행복했기 때문이었다. 정리를 하고선 작고 큰 가구들을 한 번씩 만져보았다. 먼지가 적지 않게 쌓여있던 탓에 손자국이 조금씩 남았다.

제일 마지막으로는, 콘센트에 꽂혀있던 선풍기를 바라보았다. 여전히 선풍기는 돌아가고 있었으며 한지는 흩날리고 있었다. 어제 한지에 얼굴을 대고 한참을 울어버린 탓에 평소보다 한지의 양도 없고 길이 또한 짧은 것들이 많았지만, 그래도 착실히 돌아가고 있었다. 혜연은 그 선풍기를 어디다 놓으면 좋을지 짧게 고민하다, 이윽고 최대한 선을 늘려 창문 쪽으로 가져다 두었다. 그러곤 선풍기의 버튼을 [강]으로 눌렀다. 그러자 바람이 평소보다 더 세차게 불기 시작했다. 우리나라 제품이 아니기에 저 버튼에 적힌 일본어가 [강]인지 아닌지는 확실하게 모르지만, 바람의 세기를 모르는 바보는 아니었다.

–너만은 살아가.

혜연은 선풍기에게 말을 건넸다. 알아들을 리 없는 고철 덩어리에 불과하지만, 그래도 누군가를 투영한 것처럼, 누군가 들어주길 바라는 것처럼 일부러 크게 말을 했다.

이제 저 바람은 끊임없이 불어 세상에 일조하리라.

그렇게 선풍기를 두어 번 어루만지다 일어선 그녀는 발에 딱 맞는 흰 운동화를 욱여넣어 마지막으로 집 안을 바라보았다. 밉지만 그럼에도 그리울 곳. 이곳에서 살고 있음에도 그리움의 감정을 멈출 수 없는 곳. 그것이 주희든, 난간에 기대어 바라보던 하늘이든, 저 선풍기든. 그리고 뜬금없게도 혜연은 마지막으로 집을 떠나는 순간 할머니를 떠올렸다.

–혜연아, 혜연아.

–응, 할머니.

–불쌍한 우리 혜연이.

–왜 울어, 울지 마….

–혜연이 눈을 보는 게 너무 슬프다. 내가 너무 슬퍼.

할머니가 돌아가시기 나흘 전, 그러니까 혜연이 19살이었을 무렵이었다. 할머니는 잠자리에 누워 그녀의 뺨을 쓰다듬어주며 하염없이 눈물을 흘렸다. 왜 내가 불쌍해 보였을까. 당신이 떠날 줄 알고 있었다면 그냥 아무 말도 하지 말지. 지금은 모두 의미 없는 생각이지만, 정말 마지막이라고 생각하니 그 의미를 찾아보고 싶어졌다. 할머니는 왜 내가 불쌍하다고 했을까…. 어쩌면 나는 그때부터 떠나고 싶었던 것일까. 그리고 할머니는 내가 무슨 마음을 지녔는지 다 알고 있었던 걸까. 할머니 눈에는 주희가 나를 떠났을 그때부터 할머니가 돌아가시기 전까지 하루도 빠짐없이 불쌍해 보였을지도 모르겠다.

-그래서 내가 뭐라고 답했더라….

갑자기 일어나는 궁금증에 혜연은 슬그머니 현관문에 등을 기댔다. 대답을 떠올리려 집중했지만, 거실에서 강한 세기로 탈탈탈 돌아가는 선풍기 소리에 도무지 집중을 할 수가 없었다. 잠깐 미간을 찌푸린 혜연은 선풍기 바람 세기를 줄이려고 몸을 움찔했다. 하지만 그것도 잠시, 혜연은 그냥 제 손으로 귀를 막는 것으로 대신했다. 그렇게 이젠 희미해진 할머니와의 대화를 한참을 떠올리니, 숨어있던 기억이 팟-하고 나타났다. 잊었던 기억을 갑자기 떠올리니 약간은 허무한 기분도 들었다. 뭐 어찌 됐든, 혜연은 마지막 기억을 떠올리자마자 미소를 지으며 미련 없이 그대로 등을 돌려 현관물을 열어젖혔다.

맞아, 손을 잡아달라고 했지.

그러곤 놓지 말라고. 아주 꽉.

*

집 밖을 나와보니 흐린 날씨 탓에 짙은 푸른색과 회색이 뒤섞인 하늘이 세상을 장식하고 있었다. 탁한 푸른색이었다. 그것이 참 마음에 들었다. 아, 이제 나도 알 것 같다. 하늘이 참 예쁘다. 그러니 오늘 죽어야겠다. 네가 분홍빛이고, 주황빛이고, 푸른빛인 게 예뻐서 죽어야겠다고 다짐했다는 마음을 이제야 이해했다. 저 회색빛의 흐리고 탁하고 어두컴컴한 푸른빛이 참 예쁘다. 그러니 나도 오늘이어야만 한다. 혜연은 그렇게 생각했다.

혜연은 집 밖을 나와 바로 걷지 않고 하늘을 바라보며 여름의 서늘한 공기를 한껏 만끽했다. 두 팔이 활짝 벌린 그녀의 표정은 한없이 천진난만해 보일 뿐이었다. 그렇게 그저 바라보고 또 바라보았다. 마치 집에서 노래를 들으며 천장만 하염없이 바라볼 때처럼. 그리고 꿈에서 바라보았을 그때처럼. 스쳐가는 노래의 흐름에 저를 걸쳐두고, 흩날리는 바람에 몸을 얹고. 그렇게 한참을 보고 있었을까, 목이 아파질 즈음 혜연은 고개를 내려 기다란 줄 이어폰을 꺼냈다. 바람이 불어 머리카락이 얼굴에 몇 가닥 달라붙었기에, 귀에 머리카락을 정갈하게 꽂았다. 그 김에 앞머리까지 정리한 혜연은 그제야 이어폰을 귀에 꽂았다. 역시나 귀에선 이루리의 물고기가 들려왔다.

–날 자유롭게 해줘. 네 품속에 날 가득 안고 이 밤을, 파도를, 아픔을 다 건너갈 수 있도록. 너에게로 가….

노래를 들으며 사뿐히 발걸음을 옮기기 시작한 혜연은 저도 모르게 웃기 시작했다. 풋, 하하. 와 같은 작은 실소로 시작했지만, 점점 웃음의 강도가 세졌다.

하하하…. 노래가 우스웠던 것도 아니고, 정말 웃긴 것도 아니었다. 그저 혜연은 웃고 싶었던 것뿐이라.

주희야, 너도 이젠 알겠지? 여전히 우리의 사랑은 비극이야. 그렇지만 그래도 괜찮을 거라는 확신이 들어. 네가 날 기다리고, 내가 널 향해 가고 있으니까. 사랑이 비극일지언정, 그전에 사랑 그 자체이니까. 애증도, 우정도, 비극적인 사랑도 결국은 사랑이니까. 무슨 형태이든 괜찮을 거야. 그럴 거야.

바뀐 삶의 끝이 어떤 형태이든, 사랑의 바운더리 안에서는 무엇이든 가능하다. 서로를 건설하는 관계는 감히 그 누구도 침범할 수 없다. 서로끼리만이 유효한 상호작용이 가능하며, 유일한 이정표이다.

혜연이 옳았다. 사랑은 비극이다. 비극이자 사랑이다.

그리고 그것이 정답인지 아닌지는 아무 상관이 없었다.

그저 혜연이 그렇게 생각했으니, 그것이 참이었다.

혜연의 이런 생각은 발걸음을 뗀 이후 더 이상 이어지지 않았다. 환한 웃음을 짓는 것만이 그녀가 할 수 있는 최선이었다. 혜연은 그저 나아가고 싶었다. 결국 어디로 다다를지는 오로지 그녀만이 알고 있을 것이다. 그녀는 마음이 움직이는 대로 푸른 원피스를 입고 빙글빙글 돌며 언덕을 내려갔다. 하하하- 여전히 귀에선 몽환적인 노랫소리가 흘러나오고 있었다. 그러다 중간에 한 번 발이 꼬여 넘어질 뻔하기도 했지만, 한 번 휘청거린 그녀는 다시는 넘어지지 않았다. 꽉 맞는 흰 신발에 점점 발가락에서부터 불편함이 느껴졌지만 혜연은 그래도 신나게 팔을 벌리며 뛰어 내려갔다. 푸하하하하-! 이제 혜연은 제 귀에 들려오는 노랫소리마저 묻힐 만큼 크게 웃었다. 그녀는 마치 한 영화 속 주인공처럼 찬란하게 웃고, 손을 벌리고, 사랑스럽게 뛰고 또 뛰었다. 시원한 바람이 혜연의 머리칼을 잔뜩 망가트렸다. 이렇게 웃어본 적은 없었는데. 항상 주저앉고 가라앉을 것만 같았던 나날이 지속되었지만, 오늘만큼은 그런 좌절감이 느껴지지 않았다. 그리고 그런 혜연에게 새 찬 바람이 불어왔다. 잠시 멈춰 아주 딱 맞는 신발을 벗고 편하게 구겨신은 혜연은 한결 더 가뿐해진 모습이었다. 바람에 흩날린 머리를 정리한 후 다시 성곽 마을 언덕 너머로 활짝 웃으며 뛰어 내려가는 혜연의 모습이 점점 희미해져갔다.

바다 냄새가 난다.
네가 바다 내음을 싣고 나에게 불어오고 있다.

이윽고 바람이 멎었다.

End

작가의 말

사랑은 아주 쉽다. 그리고 우리들은 그 쉬운 사랑을 아주 어렵게 행하고 있다. 또 사랑 때문에 울고, 절망하고, 기뻐하며, 망각한다. 어느 날 문득 나는 그것들에 의문이 생겼다. 대체 그게 뭐라고 사람을 성장시킴과 동시에 망쳐버리는 것일까. 그게 뭐길래 우리들의 삶과 공존하는 것일까. 그 의문으로부터 [물고기]가 탄생되었다. 더불어 책 속에서도 꾸준히 언급되는 [이루리 - 물고기]는 내가 아주 애정하는 노래이다. 이 노래가 없었으면 혜연과 주희의 사랑과 이야기는 탄생되지 않았을 것이다. 이에 아티스트 이루리님에게 무한한 감사를 보내고 싶다.

또한 표현들이 불친절했을지는 몰라도 혜연의 혼란스럽고 복잡한 마음을 날것 그대로 느끼길 간절히 바랐다. 그

날카로우면서도 어지러운 감정이 다양한 표현을 통해 여러 분에게 잘 닿았길 바란다.

이 책을 관통하는 주제는 '아가페적 사랑'이다. 에로스적 사랑도, 프라그마적 사랑도 아니다. 혜연과 주희가 행했던 사랑은 아가페적 사랑 그 자체이다. 그러나 그들은 그것을 성숙하게 풀어내기엔 아주 어렸다. 어리고 어리석었다. 또 결핍을 지녔으며 동시에 불행했다. 그렇기에 나는 내 책을 읽은 독자들에게 명확한 답을 내려주고 싶지 않다. 그들의 사랑이 운명적인 만남으로부터 이어져 결국 서로를 구원하는 아름다운 결말인 것인지, 혹은 자기방어 기질로부터 비롯된 합리화와 회피의 결말인지 말이다. 그것을 끝내 정의 내리는 것은 독자들의 몫이다. 개개인이 정의 내리는 사랑엔 정답이 없고 같을 수도 없기 때문이다. 사실 혜연과 주희의 사랑을 제3자가 재단해도 되는 것일까 싶기도 하지만, 난 그것까지가 이 책의 완성이라고 생각한다. 또한 그 '재단(裁斷)'에 도움을 주자면, 작가로서 확실하게 대답해 줄 수 있는 것은 그들은 마지막 순간 정말 행복했다는 것이다.

혜연과 주희는 어렸기에 무모했으며, 무모했기에 더 자유로웠다. 그리고 그들은 후회 따윈 없을 것이다. 그러니 그 사랑이 어떤 형태이든 아무런 문제가 될 것이 없다.

우리들은 어떤 사랑을 하며 살아가고 있을까. 어떤 쉬운 사랑들을 어렵게 행하고 있을까. 혜연이 정의 내린 사랑은 '주희'이고, 작가인 내가 정의 내린 사랑은 '자유'이다. 그렇다면 이제 질문을 하고 싶다. 여러분들이 정의 내린 사랑은 무엇인가? 사랑은 그저 사랑일 뿐이라 말할 수도, 인물이 될 수도, 사물이 될 수도 있다. 나를 향한 사랑일 수도 있고, 남을 위한 사랑일 수도 있다. 혹은 아직도 정의 내리지 못했을 수도 있을 것이다. 그러나 결국은 찾게 될 것이다. 시간이 얼마나 걸리든, 그게 무엇으로 정의 내려지든 상관없다. 정답 또한 없다. 결국 그것은 오래 걸린다 할지언정 언젠가 자신을 성장시킬 것이다.

그러니 모두 사랑을 향유하며 살아가길 바란다.

마지막으로, 언제나 진정한 사랑이 되어주고 '나'를 이룩해준 L에게 이 책을 바치며, 세상을 사랑하지 못하고 우울감에 혼란스러웠던 가엾은 과거의 수정이에게도 이 책을 꼭 바치고 싶다.

결국은 모든 것을 되찾았으니 자유롭고 나다운 모습을 잃지 말길. 행복은 내 손안에 있다는 것을 항상 명심하길. 힘들었던 그 모든 경험이 나를 성장시켰으니 넘어진다 하더라도 털어내고 다시 일어나길. 언제나 긍정적으로 살아가고 언제나 사랑하길. 설령 또 우울이 들이닥쳐 나를 힘겹게 만들지라도, 난 이제 이겨내는 방법을 아주 잘 알지. 그러니 언제나 이겨내길!

항상 나를 사랑하고 세상 제일 자유롭게 살아.
나를 억지로 속박하는 모든 관계에 붙들려있지도 말고.
의미 없는 일에 일희일비하며 감정을 낭비하지 마.
생사는 여일함을 인식하며 불필요한 집착은 하지 마.
날 갉아먹는 것들에 잡아먹히지 마.
지금처럼!
그냥 딱 지금처럼만 행복하고 자유롭게 살자!
현재에 충실할 것!! 너무 걱정하지 마!!

행복해야 돼. 나도 행복할게! 사랑해!♡
(2023년 09월 16일, 과거의 수정이가 미래의 수정이에게 쓴 편지에서….)

2024/07 김수정 씀
End

Special thanks to

이루리
고경석
김다윤
김희승
손민석
이나은
이인서
이지현
이찬희
정수연
천호찬